Linda Seger リンダ・シーガー

シカ・マッケンジー 訳

記憶に残るキャラクターの作り方

Creating Unforgettable Characters

A Practical Guide to Character Development in Films, TV Series, Advertisements, Novels & Short Stories

観客と読者を感情移入させる
基本テクニック

FILM ART
フィルムアート社

CREATING UNFORGETTABLE CHARACTERS
by Linda Seger

私の家族——
両親アグネスとライナス・シーガー、
姉妹ホリーとバーバラに捧げる

目次

【凡例】

・原著者による補足は［］、訳者による補足は〔〕で示した。

・本文中で扱われている映画やテレビドラマにおいて日本未公開および未放送のもの、書籍において未邦訳のものは、原題のママ記載し（未）と記した。

・映画は初出時にのみ（）内に公開年を記した。

・映画、テレビドラマ、書籍、ラジオ番組は『』で示した。

まえがき

　ある時、筆者の元に、ひとりのテレビプロデューサーから連絡がありました。彼女が手がける企画に有名な俳優をキャスティングできたが、脚本のキャラクターが単調で困っている、と。筆者はコンサルタントとして、人物の感情を豊かに表現するためのブレインストーミングを手伝いました。他の側面にも多くを加えて充実を図ったところ、後に、このキャラクターを演じた俳優はエミー賞候補になりました。

　しばらく後に、また別のテレビドラマの案件で、プロデューサーからヘルプの依頼がありました。この番組は低視聴率で打ち切りも検討されそうだ、とのことです。俳優たちの演技はピカイチ。キャラクターの設定もよかったのですが、広がりに欠けていたのです。筆者は夜にセミナーを開き、プロデューサーたちを集めて話し合いました。もっと葛藤と対立を出すにはどうすればいいか。キャラクターの魅力を引き出すストーリー展開はないか。どうすれば相関図にある人間関係をダイナミックに表現できるか。そして、視聴者をのめり込ませる感情移入の理由はなにか。参加者はみなディスカッションに熱中し、このドラマを立て直そうと動き出しました。しかし、時すでに遅し。

局サイドで打ち切りが確定し、出演していた人気俳優は活躍の場を失い、テレビドラマから姿を消してしまいました。

どちらの例でも、既存のストーリーの中のキャラクターが問題視されています。フィクションには優れたキャラクターが必要です。キャラクターがいまひとつでは、視聴者や読者を引き込むストーリーやテーマは作れません。小説『風と共に去りぬ』や『アラバマ物語』、『ジェーン・エア』、『トム・ジョーンズ』、戯曲『アマデウス』や『危険な関係』、『ガラスの動物園』、映画『カサブランカ』（一九四二年）や『アニー・ホール』（一九七七年）、『市民ケーン』（一九四一年）、テレビドラマ『アイ・ラブ・ルーシー』や『All in the Family（未）』、『The Honeymooners（未）』などには記憶に残るキャラクターが登場します。アクション映画『48時間』（一九八二年）や『リーサル・ウェポン』（一九八七年）、『ダイ・ハード』（一九八八年）、ホラー映画『エルム街の悪夢』（一九八四年）の大ヒットにも、キャラクターの見事な設定が貢献しています。

記憶に残るキャラクターの創作は、ある過程を経て進みます。そのノウハウは習って身につくものではないとも言われますが、筆者は脚本コンサルタントの仕事を通し、ある一定のプロセスや考え方を見出しました。業界で高い評価を得ているクリエイターたちに会い、彼らのキャラクター創作の秘訣を学ばせて頂きました。

プロデューサーやディレクター、エグゼクティブや俳優も同じ問題に直面します。彼らはキャラクターの問題点を見抜いて的確な質問をし、具体的な解決策を探して実行する立場にいます。

本書はあらゆる種類のフィクションのキャラクター創作について、筆者が演劇の教師として、舞台演出家として、また脚本コンサルタントとして長い間活動した中で見つけた原則に基づき記したものです。執筆にあたり、小説家、映画やテレビのシナリオライター、劇作家や広告ライターなど、総勢三十名以上の書き手にインタビューをしました。筆者は主に映画脚本を扱いますので、映画作品とテレビドラマの例をメインに挙げています。また、本書に登場する小説や戯曲もほぼ映画化されていますので、映画版をご存じの方も多いでしょう。映画とテレビドラマのキャラクター創作の方法論は小説にも当てはまります。

ストーリーと構成の視点から見たキャラクターの扱いは既刊『ハリウッド・リライティング・バイブル』で説きましたので本書では割愛し、キャラクター創作のプロセスと人間関係の構築に焦点を当てました。これから創作を始める方は、アイデアがうまくいかない時に、本書のプロセスをたどってみてください。また、すでに創作の経験を積んだ方は、キャラクターがいまひとつだと感じる時に、ご自身の感覚をプロセスと照らし合わせて頂けたらと思います。

キャラクターの創作は知識とイマジネーションの融合が大事です。本書でそのプロセスを追いながら、ぜひ、パワフルで、多面的で、記憶に焼きつくキャラクターを創作してください。

第１章

キャラクターのリサーチをする

ある日、筆者の顧客が素晴らしいストーリーを持ち込んできました。一年かけて練った企画です。彼女のエージェントも乗り気で、脚本の完成を心待ちにしていました。

この顧客は商業ベースに乗りにくい作品も過去に書いていましたが、この企画は違います。つまり、業界で言う「ハイコンセプト」――興味をそそる要素である「フック」と個性的なアプローチ、激しい葛藤と対立があり、キャラクターにも共感できます。

折しも彼女の脚本が初映画化されたばかりのタイミング。次の企画を売り込む好機です。早く、この脚本を仕上げなければ――でも、キャラクターたちが冴えません。書き手として、彼女は前に進めない苦境にいました。

筆者が草稿を見たところ、書き手の知識不足が気になりました。この企画にはホームレスの施設で展開するシーンがたくさんあります。彼女は施設で炊き出しのボランティア経験があるそうですが、そこで寝泊まりしたこともなく、路上生活の経験もありません。どうりでディテールや感情の描写が不足するわけです。こうなると、キャラクターに生命を吹き込む方法はただ一つ。ふりだしに戻ってリサーチをすることです。

どんなキャラクターを作る時も、まず、最初はリサーチです。多くの場合は自分が知らない世界を探ることになるでしょう。説得力とリアリティを出すために、下調べが必要です。

リサーチが大好きな人はたくさんいます。新しい世界を知り、人と出会う冒険のようだからです。キャラクターの世界で実際に何日か過ごし、リアルな感じをつかむと嬉しくなります。前からうすうす知っていたことがリサーチで本当だと確認できると、喜びもひとしおです。また、新しい知識を得るたびに展望も広がり、やりがいを感じます。

逆に、リサーチが一番苦手だという人もいます。誰かに電話をかけるのも、図書館へ行くのも嫌い。手間がかかって面倒に感じるのかもしれません。わからないことが多すぎて時間がかかったり、キャラクターに関する、とある側面をどう調べていいかがわからなかったりする場合もあります。でも、キャラクター創作の第一歩は、やはり、リサーチです。

キャラクターは氷山のようなもの。観客や読者に見えるのはほんの一角です。作り手が知っていることの、たぶん、たった十パーセントぐらいでしょう。でも、努力して調べたことはすべて、キャラクターの深みを支えるのだと思ってください。

では、いつリサーチをすればいいかを考えてみましょう。たとえば、今、あなたが書いている小説の主人公が三十七歳の白人男性だとします。原稿を読んでくれた人たちは、みな主人公の性格を誉めてくれますが、動機がわかりづらいと言っています。あなたは主人公の内面の動きを知らないといけないな、と感じます。ある友人は、中年男性の心の葛藤を知るならダニエル・レビンソンの『ライフサイクルの心理学』という本があると教えてくれました。あなたはまた、男性たちの集いに参加してみようかな、と考えます。中年期にさしかかる男性はどんな体験をし、行動やモチベーションはどう変わるか、参考になる話が聞けるかもしれません。

あるいは、あなたが今、ある脚本を書き終えたところだとします。いろいろなキャラクターの中で、脇役の黒人弁護士だけ、描写が足りないのが気になります。あなたは黒人の弁護士に取材をしようと思い立ち、全米黒人地位向上協会（ＮＡＡＣＰ）に問い合わせます。弁護士という職業に人種がどんな特色を与えるかを知ろうとします。

では、「ルイス・クラーク探検隊を描く映画のシナリオを書いてほしい」と依頼がきたらどうでしょう？

一八〇〇年代に米国北西部へと陸路で横断した人々の実話の映画化です。このような案件になれば、制作会社に調査費の予算を求めたくなります。現地調査が必要なら旅費も発生します。人物像やセリフの時代考証に八ヶ月は必要だ、といった経費や期間の見積もりができるといいでしょう。

全般的なリサーチと限定的なリサーチ

リサーチは、何もかもがゼロからのスタートというわけではありません。人生経験で得た知識は誰にでもあります。あなた自身が、すでに知識の宝庫なのです。

普段の暮らしは、いわば**全般的なリサーチ**です。あなたが観察して気づくことはキャラクターの基本になります。あなたはきっと、子どもの頃から人間観察が得意でしょう。人のしゃべり方や動き方、服装や会話のリズムなどを観察していたはずです。人の考え方の癖に気づくこともあるでしょう。

医療ドラマや不動産業のストーリー、中世のイギリスで繰り広げられる物語を作る時も、実際に仕事をした経験があれば――医療や不動産関係、教職など――そこで吸収したことが活かせるかもしれません。学校での勉強も全般的なリサーチに相当します。心理学や芸術、科学などの授業はいずれ、ストーリーに必要なディテール描写に役立つでしょう。

「自分が知っていることを書きなさい」とよく言われるのには一理あります。あなたがリアルに見てきたことは、知らない分野を長年リサーチして知ることに匹敵するディテールに富んでいるからです。

かつて『こちらブルームーン探偵社』のストーリーエディターを務め、著書『How to Sell Your

Screenplay: The Real Rules of Film and Television（未）』もあるカール・ソーターは、彼のところに売り込みに来た脚本家との会話をよく覚えています。「彼は、四人の若い女性たちが春休みにフロリダ州のフォートローダーデールに遊びに行く話を持って来た。アイデアとしてはいいが、この人は春に現地に行ったことがないな、と気づいた。尋ねてみると、彼の故郷はフロリダからはまったく遠い、カンザス州の小さな農場だ。『今週は田舎にいられなくて残念ですよ。年に一度のパンケーキ祭りですからね』と言うんだ。そして、カンザスの田舎で恒例のパンケーキ祭りのことをいろいろ教えてくれた。僕は彼にこう言ったよ。『映画の舞台として、すごくいいじゃないか。どうしてわざわざ知らない街の物語を書こうとするんだい？　ただでさえライバルが多い業界なのに、よけいに不利だ。きみが知っている話を書けよ』って」

あなたがすでに知っていることからキャラクターの創作が始まります。とはいえ、それだけでは情報が足りないかもしれません。自分の観察や実体験からは得られないディテールを調べるために必要なのが、**限定的なリサーチ**です。

小説家ロビン・クックは医師ですが、医療もののフィクションを書く際にはやはり限定的なリサーチをします。「大半は資料を読むことですが、やはり専門医にも話を聞き、自分でも二、三週間ほど現場に入ってみます。『ブレイン―脳』を書く時は神経放射線科医と二、三週間、行動を共にしました。伝染病を描いた『アウトブレイク―感染』ではアトランタの米国疾病予防管理センターの人たちとウイルスについて話しました。『ミューテイション―突然変異』では遺伝子工学のリサーチをしましたよ。めざましい速さで研究が進む分野ですから、私が医学生時代に得た知識の大部分はとっくに時代遅れ。私は年に一冊のペースで新作を出しています。六ヶ月間でリサーチをし、二ヶ月でストーリーの大筋を立て、二ヶ月で執筆をして、残りの二ヶ月は本のＰＲ活動や病院での仕事に充てています」

文脈

キャラクターは何もないところには存在できません。周囲の環境が必要です。一七世紀のフランスにいる人物と、一九八〇年のテキサスにいる人物には違いがあります。イリノイ州の田舎町の開業医と、ボストンの総合病院の病理学者も違っています。アイオワ州の貧しい農場で育った人物は、サウスカロライナ州チャールストンで裕福に育った人物と異なっているでしょう。アフリカ系やヒスパニック、アイルランド系米国人は、ミネソタ州セントポールで生まれたスウェーデン系の人とは違っています。キャラクターを理解することは、キャラクターを取り巻く文脈を理解することでもあります。

では、文脈とは何でしょう？　脚本家でシナリオ講師のシド・フィールドは著書『素晴らしい映画を書くためにあなたに必要なワークブック――シド・フィールドの脚本術2』でわかりやすく定義しています。彼いわく、文脈とは空っぽのコーヒーカップのようなもの。カップが文脈だというのです。それはキャラクターを包む空間であり、物語と人物の具体的な情報がその空間を埋めるのだ、と。[*1]そして、キャラクターに最も影響を与えるものには文化や時代、ロケーション、職業などがあります。

文化の影響

どんなキャラクターにも民族的な背景があります。たとえばスウェーデン―ドイツ系米国人三世（筆者がそうです）なら、祖父母の母国の民族的な背景の影響は最小限かもしれません。同じ米国人でもジャマイカから移住したばかりなら、行動やふるまい方、態度や感情や考え方に民族的な影響が濃く表れているでしょう。

また、社会的な背景もあります。アイオワ州の中流階級の農家の出身とサンフランシスコの上流階級の出身では違いがあるはずです。

宗教的な背景も考えましょう。名目だけはカトリック信者だという人物もいれば、ユダヤ教正統派信者やニューエイジの哲学の信奉者、無神論者など、いろいろです。

教育的な背景はどうでしょうか。学校教育を受けた年数や専攻によってキャラクターの性質も変わるでしょう。

こうした文化的な側面はキャラクターの考え方や話し方、価値観や関心、感情面に幅広い影響を与えます。

アイルランド系米国人で、脚本家のジョン・パトリック・シャンリィは、『月の輝く夜に』（一九八七年）を書く前に、近所に住むイタリア系移民の暮らしをよく観察しました。「彼らはいいものを食べている。自分の肉体をリアルに感じている。しゃべる時は全身全霊でしゃべる。だが、アイルランド系にもいいところがあるよ。たとえば、イタリア系より弁が立つこと。また違った魅力があるんだ。だから、僕は両方のいいところを取った（中略）作品にも、生き方にもね」[*2]

ウィリアム・ケリーは映画『刑事ジョン・ブック 目撃者』（一九八五年）の脚本を書くために七年間を費やしてアーミッシュ（北米在住のドイツ系移民で自給自足の生活をする宗教集団）の文化を調べ、外の世界に無関心な人々から情報を引き出す努力をしました。「彼らはハリウッドに強い不信感を抱いていたから苦労したよ。でも、馬車を作る職人のビショップ・ミラーという男に出会って、すべてが変わった。撮影に一五台ほど馬車がほしいと彼に言ったら、二つ返事で作ってくれた。商談成立をきっかけに打ち解けてくれて、集落に招き入れてくれたよ」

この職人ビショップ・ミラーが映画に登場するレイチェルの義父イーライのモデルになりました。彼との交流をきっかけに、脚本家ケリーはアーミッシュの人々が放埒《ほうらつ》で、人を見抜く目があること、ユーモアのセンスに長けていること、女性たちが思わせぶりな態度をとることなどを知りました。

文化はしゃべり方のリズムや文法、語彙にも影響を与えます。セリフを声に出して読み、キャラクターの声を感じることも大切です。

スーザン・サンドラー脚本の『デランシー・ストリート／恋人たちの街角』（一九八八年）では、ニューヨークのアッパーウエストサイドの話し方とロウワーイーストサイドの話し方の対比がなされています。登場人物の多くが（詩人のキャラクター以外は）ユダヤ系であり、ニューヨークの特定の地域出身です。どちらの文脈も、話し方に影響を及ぼします。

アッパーウエストサイドのイザベル（イジー）は「ある人と会った。お見合いの件で、斡旋人と。おばあちゃんが段取りをした」と状況を語ります。

イジーの祖母はまた別のリズムで話します。「山猿を追いかけるんなら木に登らなきゃね。犬は放っておけばいいけど、人間はそうはいかないわ」

ロウワーイーストサイドでピクルス屋を営むサムはまた別のスタイルです。「僕はご機嫌な男だよ。朝、鳥がチュンチュン鳴く頃には起きてる。さっぱりしたシャツを着てシナゴーグで朝のお祈りをする。九時に店を開けるんだ」

詩人はこうです。「きみの静寂は確かに素晴らしい、イジー」

ジョン・ミリントン・シングがアイルランドを舞台に描いた戯曲『海に騎りゆく人々』にも独特のリズムがあります。「さあ、みんな集まった、終わりの時だ。神のお慈悲をバートリーに、マイケルに、シーマスとパッチとスティーブン・ショーンに。私と、ノーラと、この世に残るみんなの魂に神のお慈悲を」

アーミッシュの男性イーライとフィラデルフィアの刑事ジョン・ブックのセリフも挙げましょう。かすかな違いですが、イーライののどかさと、ジョンの単刀直入さが見てとれます。

イーライ　イングリッシュに気をつけるんだぞ。

ジョン・ブック　サミュエル、私は刑事だ。殺人事件の捜査をしている。

異なる文化背景をもつ人物たちが登場するストーリーもあるでしょう。あなたと人物の背景が同じなら、リズムや態度が自然に描けます。そうでない場合はリサーチが必要です。設定に合うリアリティがあるか、他の人物との違いがしっかり描き分けられているかも確認してください。

時代背景

現代ではない時代設定は難易度が上がります。リサーチが間接的なものになるからです。ロンドンの街を歩いてみても、一六世紀のロンドンの情報をじかに得ることはできません。現代の英国人の会話を聞いても、四百年前の話し方の名残りがかすかにある程度でしょう。当時の人々とは語彙もリズムも異なります。時代を経て、本来の意味をなくした言葉もたくさんあります。

小説家でありカリフォルニア大学サンタバーバラ校の教授でもあったレオナルド・ターニーは『Old Saxon Blood（未）』や『The Players' Boy Is Dead（未）』など、一六世紀イギリスを舞台にした作品を書いていますが、専門分野の知識が豊富な彼もディテールを調べます。

「ロンドンの法曹院の歴史や、一六世紀から一七世紀にかけての実際の動き方は知りたいですね。魔女裁判を題材にした小説を一つ書きましたが、一七世紀初めに、被告に弁護人がつけられたかを調べると、当時は認められていなかったことがわかったんです。現代とはまったく違う感覚の裁判ですね。では、裁判官は何人座っていて、陪審員はいたのか、いたとすれば何人か。現代人には不当に見えることが、魔女裁判で有罪判決を出した当時は普通だったとリサーチを元に言えるようになりました。どんな刑罰が与えられたかも調べました」

筆者がコンサルティングを担当した企画の中に、モルモン教徒たちが一九世紀半ばに米国西部のソルトレイクシティへ移住した歴史を描く映画がありました。脚本・監督のキース・メリルは歴史的演説や移住の記録を資料としてまとめていました。脚本のリライトと推敲を担当したのは、一九世紀のストーリーを多数手がける脚本家ビクトリア・ウェスターマークです。彼女は自身の経験を活かし、『Legacy（未）』（一九九三年）と題された脚本の言葉や描写の時代考証をしました。彼女は次のように語っています。

「日記や手紙の実物、スピーチの記録などがあれば、つぶさに目を通します。書き言葉は話し言葉とは異なりますが、日記にはリアルな心情が書かれています。手紙は表現が硬いですね。一九世紀の地元紙も読みます。世間全体のリズムがつかめるんですよ。当時の人々の好き嫌いや、罵りの表現などもわかります。

パサデナのハンティントン図書館でも調べ物をしました。日記の現物が読めるんです。当時の雰囲気が現代の観客にも違和感がない形で感じ取れるような表現があれば、時代ごとにメモしています」

いくらリサーチをしてもわからないことは、想像するしかありません。調べてわかった内容を総動員して、リアリティが感じられる表現を探しましょう。

ロケーション

自分がよく知っている土地を舞台にする書き手はたくさんいます。ニューヨーク育ちの人はニューヨークの物語。ハリウッドには、夢を抱いてハリウッドに来た人物を描いた脚本が山ほど送られてきます。行ったことがある土地や、しばらく住んでいた場所を描く場合もあるでしょう。土地勘があればあるほどリサーチは楽になります。それでも、何かを確認する必要に迫られることも多いです。

ウィリアム・ケリーはペンシルベニア州ランカスター郡に住んでいました。まさに『刑事ジョン・ブック 目撃者』の舞台ですから土地勘は申し分ありません。それでもアーミッシュの暮らしを描くために、キャラクターのモデルとなる人々を探して現地に調査へ行っています。

映画『危険な情事』（一九八七年）の脚本家ジェームズ・ディアデンは英国人ですが、作品の舞台となるニューヨークでかなりの期間を過ごしています。

イアン・フレミングのジェームズ・ボンドシリーズの小説の中で『死ぬのは奴らだ』と『ドクター・ノオ』の二作品と、その他の複数の短編小説は彼が別荘「ゴールデンアイ」を所有するジャマイカが舞台です。彼は『007は二度死ぬ』の執筆前に東京を訪れ、『ロシアから愛をこめて』を執筆する前にはオリエント急行に乗車しました。

舞台となる場所はいろいろな面でキャラクターに影響を与えます。『刑事ジョン・ブック 目撃者』ではフィラデルフィアの慌ただしく熱気があるリズムとアーミッシュの集落のゆったりしたペースが対照的です。『出逢い』（一九七九年）と『ワーキング・ガール』（一九八八年）を見比べると、西部とニューヨークのリズムの違いがわかります。どちらもキャラクターに影響を与えています。

サマセット・モームの短編小説『雨』（過去に二度映画化されています）やテネシー・ウィリアムズの戯曲『イグアナの夜』、グレアム・グリーンの小説『権力と栄光』の舞台は亜熱帯です。このような作品を書くなら、蒸し暑さや湿気の影響、長雨がもたらす閉塞感をキャラクターの中に盛り込むことになるでしょう。

一方、気温が氷点下になる環境下では、どうでしょうか。ジーン・シェパードの小説『In God We Trust: All Other Pay Cash（未）』や、カーティス・ハンソンとサム・ハム、リチャード・クレッター脚本の映画『ネバー・クライ・ウルフ』（一九八三年）のような物語を書くなら、極寒の気候での人物のライフスタイルや行動を知らねばなりません。

ケン・キージーの小説『カッコーの巣の上で』を舞台劇に翻案したデール・ワッサーマンもリサーチをしました。「実際に精神病院に行ったよ。高級な病院と劣悪な状態の病院とを見てから、ある大病院の精神科医にお願いをして、患者としてしばらく入院させてもらった。三週間の予定だったが十日間で切り上げた。怖くて居心地が悪かったからではないよ。理由はまったく逆で、あまりにも快適だったからだ。意外なことがわかったよ。とにかく、自分の意志や選択を病院に預けてしまえば、すべてが楽。ずっとこのまま暮らしたい、という誘惑に駆られてしまう。いろいろな患者に会えたよ。どの程度まではっきりとしゃべれるか、何がどれぐらい自力でできるかなどを、幅広く知ることができた」

映画『愛と哀しみの果て』（一九八五年）の脚本をカート・リュードックが書く際は、一九一〇年代と一九三〇年代をアフリカで暮らした原作者カレン・ブリクセン〔アイザック・ディネーセンのペンネームで原作小説『アフリカの日々』を発表〕のことを知る必要がありました。

「子どもの頃からアフリカが好きで、東アフリカについての本も家に五十冊はあると思う。リサーチをしてアフリカに入植した人々のことがわかった。一八九二年にはまだ前例がなく、人々は未知の世界に踏み出そうとしていた」

彼にとって、本は全般的なリサーチに役立ちましたが、脚本を書き進めるにつれて限定的なリサーチも必要になりました。

「コーヒーの木がどう育ち、どんなふうに開花するかや、農園をどう運営するかが知りたくて、農園の人にインタビューをした。

イギリスから来た白人たちとケニヤの黒人たちとの関係も把握したかった。また、ブリクセンは使用人としてキクユ族ではなくソマリ族の人たちを雇っていただろうから、現地の種族のことも知りたかった。

当時の白人男性の主な収入源は象牙の狩猟だったことも確認が必要だった。

あとは、政府の状況。正確には植民地か、保護領か。どんな権限を誰がもち、政府と入植者との関係はどうだったか。

東アフリカの第一次世界大戦の歴史も調べたよ。アフリカには影響がなかったと思うかもしれないが、実際には、あった」

夜には語り部を囲んで話を聞いて楽しむようなスローペースの生活や、入植者と原住民とのやりとり、自由に動き回る野生動物たち、コーヒー農園の不安定な経済状態などがていねいなロケーション調査でリサーチされて、キャラクターの設定や描写に活かされています。

職業の影響

キャラクターの職業が文脈になることもあります。

ウォール街で働く人とアイオワ州の農夫とでは、ペースが違うでしょう。コンピュータのアナリストと五輪出場のランナーはそれぞれの能力が違います。庭師と足の専門医は態度も価値観も関心事も、仕事を反映する独特のものがあるはずです。

ジェームズ・L・ブルックスが映画『ブロードキャスト・ニュース』（一九八七年）のアイデアに惹かれたのは、自身が大のニュース好きだったからです。彼は大手テレビ局でニュース番組を担当した経歴もありましたが、それでも脚本を書く際には一年半も下調べに費やしています。ニュースキャスターたちに話を聞き、ニュース放送局を見学することもしたそうです。

「僕にとっては大切な題材だったからね」と彼は話します。「最初の二、三ヶ月はその気持ちを払拭する期間だったよ。思い込みを捨て去り、できるだけ客観的になるためにね。

まず、たくさんの女性と話をしたよ――ウォール街で働く女性と、レポーターの女性の二人から始めた。名門大学を卒業してすぐに頭角をあらわし、プロの現場で華やかに活躍した人に興味があった。

普通の雑談のような質問をしたけれど、相手を知るためにはそれが合理的だと感じた」

彼は人々への取材だけでなく、関連分野の資料も読みました。「ジャーナリストのエドワード・マローの長い伝記を読んだ。ニュースや放送についてのエッセイや、面白そうなものは何でも読んだ。芋づる式にね。

外に出て、現場の人たちのたまり場にも顔を出した。じゅうぶんな時間をリサーチに費やすと、いるべき場所にいるべき時にいられる確率が上がるんだ」

「たまり場」をぶらつきながら、彼はたくさんのディテールを見て脚本に反映しました。「映像を収録したテープに何かまずいことがあると誰かが走る、とかね。本当に走るんだ」

『愛と哀しみの果て』の脚本家カート・リュードックもかつてはジャーナリストでした。筆者は彼に、金庫破りなどのキャラクターをどうリサーチするかを尋ねたことがあります。調べ物が得意な彼はキャラクターの情報とストーリーの情報の両方を考えるそうです。

「金庫破りが登場するなら、僕はまず、司法関係を当たる。『手口を知ってて、まあまあ普通にしゃべれて、僕に話を聞かせてくれそうなやつが最近入ってきてないか？』って。五、六人に尋ねれば一人ぐらいは『ああ、一人心当たりがあるけど、タダじゃ無理かな。二、三万円ぐらいを包めばしゃべってくれるんじゃない？』と言ってくれる人が見つかる。

ここで僕がほしいのはキャラクターの情報じゃなくて、仕事や場面の情報だ。五回トライしてもうまくいかなかった時のことや、その時何が起きたかなど、失敗談は必ず聞くよ。人物像以外のことは何でも聞くと思う。刑務所にいる男がどんな人物かは僕の脚本にはそんなに役立たないだろうからね。本物はたぶん重罪人だろうけど、映画では共感を得るために、あくどい部分を控えめにするから」

彼は次のような質問をします。「場所はどう選ぶ？　誰の下で働いている？　一匹狼でやっているなら、その理由は？　困ることは何？　他にも手段はあるのに、わざわざ金庫破りを選んだ理由は？　方法はどうやって身につけた？　子どもの頃はどんなことをしていた？」

彼は誰が、何を、どこで、いつ、なぜという質問をし、金庫破りとはどんな人物で、他の犯罪者たちとどう異なっているかを把握します。「金庫破りの本質を見ると、権威への抵抗や犯罪への保守的な態度が推測できる。殺人や強盗なら銃が必要だし、相手も銃を持っている可能性があるだろう。金庫破りなら安全で、静かにできる。人に会わなくて済むし、メインの目的は金銭だ。ひどいソシオパスというわけではなく、ただルールを破って生きている。金銭がほしいだけなんだ」

また、彼は語彙にも注目します。金庫破りが実際に使っている言葉は図書館で調べてもわかりません。「一九七〇年代に出版された本に少し載っていたとしても、たぶん、言い回しが古いだろう」

また、彼は他の結論を導き出します。「もし金庫破りの男が慎重なら、目立たないはずだ。人目につきたくないから派手な服装はしないだろう。自分が住む地域で盗みはせず、犯罪件数が多いセントルイスなどの都市に出かけて犯行をおこない、現場から遠くへ去る……」

彼は調査を元に、このキャラクターに合うストーリーポイントを考えます。「慎重な男だから交友関係は狭いだろう。ストーリーの中で彼が一つミスをするなら、それは彼が特定の人たちと、あるいは一人の人物と親しくなり過ぎたこと。そこから、困ったことが次々と起きていく」

このようにインタビューを通すことで文脈が豊かになり、キャラクターのリアリティが増します。創作のプロセスが刺激され、自然でリアリティのあるストーリーが生まれるでしょう。

エクササイズ

あなたがこの金庫破りの男にインタビューをするとしたら、他にどんな質問をしますか？　家族のこと？　生活のスタイル？　心理面？　動機？　目標？　価値観？

全般的なリサーチから限定的なリサーチを作る

全般的なリサーチの途中でモデルになりそうな人物に出会うこともあります。

ウィリアム・ケリーは『刑事ジョン・ブック 目撃者』のイーライとレイチェルのモデルになった人々についてこう語っています。「職人のビショップ・ミラーをそのままキャラクターにしたよ。彼がイーライだ（本人には伝えていないけれど）。僕はまず、人の顔をよく見る。顔は魂を映し出すからね。そして、イントネーションやアクセントや笑い声など、僕の注意を引こうとするようなニュアンスを注意深く聞き取る。彼は写真を撮らせてくれなかったから、記憶に焼き付けたよ。

ビショップの義理の娘がレイチェルのモデルになった。ある日、家から出てきたところを見かけたんだ。首をかしげて媚びるような、ちょっとコケティッシュなところがあった。『映画を撮るんですってね。私も出られるかしら？』って。女優のアリ・マッグローに似ていて、はっとするような美人だった。二十七歳か二十八歳ぐらいだったよ」

ジェームズ・L・ブルックスは四人か五人の女性を融合させて『ブロードキャスト・ニュース』のジェーンを創作しています。また、彼が噂で聞いたネットワーク特派員を元にトムの人物像を描きました。「その男性がレバノン駐在を命じられた時のことを聞いたんだ。彼は『ごめんだね。辞めるよ。俺には妻も子もいる。命がけでレバノンには行けない』と言ったそうだ」。ブルックスはこの男性が既成概念を覆すところに惹かれました。報道の世界では命の危険を冒してでもレバノンへ向かうのが当然とされていましたが、この男性は妻子を優先したのです。

人物のモデルが見つかれば儲けものですが、リサーチを元にしなくても生まれるキャラクターもいます。キャラクターの文脈をつかめば、あとはイマジネーションに従って描けます。

限定的なリサーチのコツ

これまでに述べたことには、ある共通点があります。どのクリエイターもどこを探し、何を尋ねるかをはっきりと知っていた、ということです。

適切な質問をすることは、学べば習得できます。講師業もしているスリラー作家ゲイル・ストーン（『A Common Enemy（未）』）はこう言っています。「身の周りの九十パーセントを意識しないで過ごしている人たちもいるわ。意識しようと思えばできるのに。いろいろなことに気づける人たちは、子どもの頃に両親に温かく見守られたからでしょうね。彼らは記憶が豊かなの。もし、誰かに親切にされて、自分の気配りの足りなさに気づいたら、今からでも変わるのは遅くない。時間はたっぷりある。まわりに意識を向けることは、生きている限り、できるもの。自分がどれだけのことを知っていて、どれほどのことを無意識にやり過ごしてきたかに驚くかもしれないわ」

仕事について尋ねられると喜んで答えてくれる人は多いものです。相手がFBI捜査官であれ、強迫神経症を専門に扱う心理学者であれ、いろいろな道具を使う大工であれ、誰が、何を、どこで、いつ、なぜという質問を投げかければ、必要な情報が得られます。

また、「図書館員と顔見知りになっておく」というのも、すばやく情報を集めたいクリエイターには有益です。図書館員が答えを知っていることもあれば、どこにある資料をあたればよいかも教えてくれます。

期間は？

リサーチは脚本執筆の中で最も時間がかかる部分です。所要時間は自分の知識の分量と、キャラクターやストーリーの難易度によって変わります。

ジェームズ・L・ブルックスは「リサーチには終わりがない。『ブロードキャスト・ニュース』のリサーチには一年半かかったし、全部で四年間を費やしたよ。撮影中もリサーチを続けたからね」と言っています。

ウィリアム・ケリーはこう言います。「アーミッシュのリサーチに七年間かけた。一九八〇年に脚本家のストライキが三ヶ月続いた時に、アール（・W・ウォレス）と僕は脚本を書いた」

デール・ワッサーマンは「『カッコーの巣の上を』のリサーチには三ヶ月かかったが、もともとの原作がとても面白いからね、六週間で書き上げた」と言っています。

適切なリサーチをしなければ、執筆にはさらに長い時間がかかり、精神的にも苦しいでしょう。原稿を書きながらリサーチを続ける必要があったとしても、いつか、題材についてじゅうぶんわかったと感じる時が来ます。「新たに一人を調べるたびに、それまでに得た情報の裏づけが取れ、その分野の話に自分もフルに参加してしゃべれるようになる。そうなればじゅうぶんだ」とジェームズ・L・ブルックスは語っています。

▼ケーススタディ――『愛は霧のかなたに』

アンナ・ハミルトン・フェランは一九八九年二月に『愛は霧のかなたに』でアカデミー脚色賞にノミネートされました。この作品は実在の人物をリサーチし、キャラクターを映画向けに創作した好例です。「ダイアン・フォッシー〔『愛は霧のかなたに』で主人公として描かれる、アメリカの霊長類学者〕の人物像のリサーチは一九八六年一月中旬から始めました。ダイアンが殺されてからわずか二、三週間後のことです。六月一日にリサーチを終えて七月一日に脚本執筆を始め、九月一日に仕上げて提出しました。リサーチに五ヶ月、執筆に八週間ですね。これほど早く書き上げられたのは、必要なものがすべて揃っていたからです。


ためらうことなく脚本が書ける状態で臨めました。

この作品ではいつもとは異なるリサーチをしました。霊長類学についてはいろいろな本を読みました。マウンテンゴリラについては、ありとあらゆる資料を当たりましたね。雑誌『ナショナルジオグラフィック』のバックナンバーにもすべて目を通しましたし、ルワンダに生息するマウンテンゴリラについてUC

LA（カリフォルニア大学ロサンゼルス校）の図書館でも調べました。ねぐらについてわかったことは映画のシーンに入れています。ゴリラの目を見つめてはいけないことも。怯えて襲いかかってくる可能性があるからです。

ゴリラは家族や集団を守る本能が強く、一頭の若いオスが集団全体を守る役目を負います。これは脚本にとっても好都合でした。ダイアン・フォッシーがディジットと呼ぶ、お気に入りのオスのゴリラがいました。徐々にダイアンになつき、両手を差し伸べるところを映画で描いています。

アフリカでの滞在期間中、私は現地のにおいや感触を意識して、それが視覚的にどう訴えかけるかを感じ取ろうとしました。映画ですからにおいそのものを表現はできませんが、行間でほのめかすことはできます。また、現地の危険さを感覚的に伝えることも重要でした。それは海抜一万フィートの高地が健康に及ぼす影響です。この気候はダイアンの持病の肺気腫を悪化させました。湿度も高く、しかも彼女は一日にタバコを二箱吸うヘビースモーカー。それで山歩きをし、泥の中を転げ回る日々ですから『こんな環境で一五年間も過ごせる女性とはいったい、どんな人だろう？』と考えずにはいられませんでした。泥にまみれて、しかも非常に寒い。骨までしみるような寒さです。あんな寒さは体験したことがありません。すごい湿気ですから、いつも身体が濡れているんです。外に出れば衣服はぐしょぐしょで、乾いている部分などありません。

私が泊まっていた小屋はダイアンが殺害された場所から一五メートルほど離れていました。彼女の小屋は事件後に封鎖されていて立ち入り禁止でしたが、窓から中を見ることはできました。入って物に触れたかったのですけれどね。人が実際に触ったものに触れると、何か、感じるものがあるんです。うまく言い表せませんが、脚本に活かせるフィーリングが得られます。波型のトタンでできた小屋を外から覗くと、中には小さなテーブルクロスやドライフラワーの小さな花瓶、小さな銀の写真立て、上等な陶器や銀食器がありました。粗末な小屋には似つかわしくなくて、彼女に興味をそそられました。

初めてゴリラを見た時は、本物っぽくない感じがしました。とてもおとなしくて、淡々と自分たちのことをしているだけで、ちっとも怖くないんです。ダイアンが感じたであろう畏敬の念や驚きや興奮は感じませんでしたが、実物を見たことは役に立ちました。

ストーリーの時代考証は難しかったです。サブプロットとして打ち出していた内戦はかなり前に終結していましたからね。ただ、ダイアン・フォッシーの著書のある章に少しだけ、国境を通りかかったことについて書かれていました。コンゴの情勢については他の書籍を参考にしました。

現地の人々はダイアン・フォッシーの活動に敬意を抱き、たいへん好意的でした。彼女に会ったことがない人々も話はよく聞いていたようです。彼女はニラマチェベリと呼ばれていました。「森に住む独身女」という意味です。でも、彼女をよく知る人々は彼女を好きではなかったようです。インタビューをした四十人の中で彼女に好意をもっていたのは一人だけ。それが映画でジュリー・ハリスが演じているロズ・カーのキャラクターです。ダイアンには多くの敵がいました。彼女を殺したい人はどこにでもいたでしょう」

クエスチョン

リサーチの計画を立てながら、キャラクターについて次の質問に答えてみましょう。

- キャラクターの文脈について知るべきことは何？
- キャラクターが属する文化を自分で理解できているか？
- その文化に特有のリズムや価値観や態度が理解できているか？
- その文化に属する人と実際に会ってしゃべり、一緒に過ごしたことはあるか？
- 彼らと自分との共通点と相違点は？
- 一人か二人を知っているだけで、固定概念を作っていないか？　たくさんの人を実際によく見たか？
- キャラクターの職業をよく把握しているか？
- その職業がもたらすものや、人々がその職業をどう感じているか、観察を通してある程度つかめているか？
- 自然にセリフが書けるほど、キャラクターの語彙になじめているか？
- そのキャラクターが住んでいる場所を知っているか？　近所の環境を感覚的につかめているか？
- その場所の気候や余暇の過ごし方、音やにおいを感覚的につかめているか？
- 自分がいる場所との違いは？　キャラクターにどのような影響を与えるか？
- 時代設定が現代ではないなら、当時の言葉遣いや生活環境、衣服、人間関係、態度や影響をじゅうぶんに理解できているか？
- 当時の人々の話し方や言葉の選び方を知るために日記などの資料を読んだことはあるか？
- 図書館員や、その土地や分野のことをよく知る人など、誰かの助けは必要か？

まとめ

キャラクターの創作にはリサーチが必要です。「新人はまず自分が知っていることを書きなさい」と言われるのにはいくつかの理由があります。調べものには時間も経費もかかります。新人のうちから調査のためにアフリカに一ヶ月滞在する費用は出しづらいでしょうし、金庫破りと会って話を聞くことも、アーミッシュの馬車職人に取引をもちかけるのも難しいでしょう。

リサーチの重要性を理解し、何を調べるべきかを知ることは、しっかりしたキャラクターを創作する過程として欠かせません。

最初の抵抗感を克服できれば、リサーチは創作意欲をかき立てるエキサイティングな体験になるでしょう。そこからイマジネーションを羽ばたかせ、キャラクターに命を吹き込んでください。

第2章

キャラクターに一貫性と矛盾を与える

あなたが大好きな人は誰ですか？　友人や配偶者、先生や親戚などを思い浮かべてみてください。その人のことで最初に思いつく性質は、その人の人格として一貫性がある面ではないでしょうか。いつも気持ちをわかってくれる友人もいれば、一緒に遊ぶと楽しい友人もいるでしょう。論理に強くて分析力がある先生や、スポーツや人生に前向きに臨む親戚もいるでしょう。

もう少し考え続けてみてください。すると、その人の意外なディテールも思い出すのではないでしょうか。あの人がなぜ、と不思議に思うような、矛盾した部分です。合理的な考え方の友人が変な帽子を被っていたり、身体を動かすことが大好きな友人が静かに天文学の本を読んでいたり、やさしいはずの友人が家の中で虫を見た瞬間にハエ叩きや殺虫剤で駆除しようとしたりする、といった意外な一面があるでしょう。

キャラクターの定義は行ったり来たりのプロセスをたどります。この人物はどういう人かと問い、観察する。自分の体験を思い出して活かし、実体験がないものは想像で作る。これらをキャラクターの一貫性と照らし合わせ、ユニークで意外性のあるディテールを考える。

このプロセスには場当たり的でまとまりがないように感じるところもあるでしょう。しかし、キャラクターのあらゆる面を見回せば、いろいろと、はっきりとした特徴があるはずです。創作過程でいまひとつリアルな魅力が出せない時は、何かの特徴を加えてキャラクターの幅を広げ、豊かさや深みを出すといいでしょう。

どのように始めるか？

身近な人をモデルにするか、誰かを観察するか、自分の特徴を当てはめるか、多くのディテールを組み合わせて描くか。いずれにしても、まず、キャラクターの最もはっきりした特徴を一つ選びましょう。第一印象として目に飛び込んでくる特徴です。

それは外見でもOKです。どのような外見か？　動き方は？　迷ったら、キャラクターが危険に遭遇した時を想像してみてください。どんな行動をして、どんな反応をするでしょうか？　あるいは、キャラクターが大事にしているものを思い浮かべてもいいでしょう。

キャラクターの創作は段階を追って進みます。順番は前後したとしても、たいてい、次のような流れになります。

1. 観察か実体験に基づき、最初のアイデアを得る
2. 最初の大枠を作る
3. 一貫性を生む、コアとなる特徴を特定する
4. 複雑性を生む、矛盾した特徴を加える
5. 感情、態度、価値観を与えて肉づけする
6. 具体的でユニークなディテールを加える

観察

キャラクター創作の材料は、こまかいディテールの観察から得るものが大半です。

脚本家のカール・ソーターは飲食店で変わった客を見かけました。その客を観察し、自分のイマジネーションと組み合わせたことを次のように話してくれました。

「ワシントンD.C.でのセミナー受講生にいろいろなキャラクターを考えてもらったら、やさしい娼婦や、劣等感を隠して陽気にふるまう太った人といった例が出た。どこかで聞いたことがあるパターンがほとんどさ。昼休みに僕は外に出て、コーヒーショップである男を見かけた。ナイフを持って、スープを見ている。何をしてるんだろう、と思って眺めていると、パンのお皿に乗っている四角いバターが、冷たくてカチカチに硬そうだ。男はゆっくりとバターの銀紙をはがしてナイフを突き刺すと、スープに浸してからパンに塗った。確かに合理的だよね。バターを熱いスープに入れれば溶けて、パンに塗りやすくなる。そして、僕は考えた。この男はどういう性格なんだろう？　この行動は何を表しているのか？　僕は授業に戻ると受講生にこの男の話をして、シナリオに当てはめて質問をした。この男は何者で、なぜそこにいて、何歳か。すると、受講生たちが発想したキャラクター像はびっくりするほど面白くなった」

広告のキャラクターの創作には、観察が特に大切になります。一世を風靡したCMクリエイター、ジョー・セデルマイヤーは会う人すべてをつぶさに観察すると言っています。人柄がにじみ出る癖に注目して俳優を選ぶことも多く、面白さとリアルさを求めて素人も起用しました。彼はまず人々を観察し、気づいたことをキャラクターに変換します。ハンバーガーチェーンのウェンディーズのCM「Where's the beef?

（ビーフはどこ？）」編にクララ・ペラーを起用した時のいきさつを彼はこう語っています。「あるコマーシャルの撮影でネイルアーティストを探していてクララに出会った。彼女は通りの向かい側で働いていたんだ。セリフのない役で出てもらったが、シーンの撮影が終わるとクララは振り向いて僕に気づき、『あらまあ、元気？』と言った。あの深みのある声でね。それがとてもいい感じだったから、いろいろな広告に出てもらった。ウェンディーズのCMの最初の案は、大きなバンズにちっちゃなビーフしかないハンバーガーを見て『ビーフは？』と若いカップルが言うというものだったが、いいとはまったく思えなかった。若者じゃなくて、お婆さんたちが言えば面白いのに、と考えた時に、ふと、クララを思い出した。彼女を出せば破壊的な面白さが出るぞ、と。『ねえ、お肉が入ってないんだけど？』という声が聞こえるような気がした。そこでクララに出演してもらったが、彼女は肺気腫を患っていて呼吸が浅い。だから『ビーフはどこ？』という短いセリフにした」

自分の体験を融合させる

最終的に頼れるのはあなたの実体験です。キャラクターの出来を確かめるのは自分の感性以外にありません。説得力があって、リアルで、一貫性があるかどうかの判断はあなたにしかできません。自分の感覚に従いましょう。

この点を力説するクリエイターは後を絶ちません。「自分が知っていることは必ず、実体験を伴っている」と映画監督で脚本家のジェームズ・ディアデンも言っています。「最後は自分の中から引き出すしかないんだ。僕の中にアレックスがいて、ダン〔共にディアデンが脚本を担当した『危険な情事』の登場人物〕がいる。実体験がなければ外に出て体験すべきだ。僕が書くキャラクターはみな僕の中から生まれている。内面から引っぱり出すんだ。この状況なら僕はどう反応するだろうか、といつも考えているよ」

カール・ソーターも同意します。「これは自分だな、と思える要素をキャラクターに入れるべきだと思う。どのキャラクターも自伝のようにするという意味じゃなくて、『ここで堂々と表現したい自分の一面とは何だろう』と尋ねることだ。自分にしか書けない物語を書き始められたら、書き手として新たなレベルに到達するよ。だから、僕は脇役の中にも、僕を映している部分をいつも探すんだ」

映画『レインマン』（一九八八年）のオリジナルの脚本を書いたバリー・モローは「自分が興味を持てるものか、書いていて楽しいと思えるものでないとね。『レインマン』のレイモンドの好物は僕の好物と同じ、野球とパンケーキだ。チャーリーの好物も僕と同じ――カネとクルマと女性だね」と打ち明けています。

『レインマン』の脚本のリライトを担当したロナルド（ロン）・バスはこう付け加えています。「チャーリーとレイモンドは僕の中にもいる。二人の欠点も長所も僕の中にある。人づきあいを恐れる反動で、やり過ぎてしまう部分もあるし、心に壁を作るのも、実はもろくて愛されたい願望があるのも僕と同じだ。脚本を書くのは自分の心と深くつながることでもあるから、人物が自分の中にいるか、いないかがよくわかる」

複数の脚本家が集まって書くテレビドラマシリーズでは、キャラクターの基礎を固める脚本家がチームの中に一人いることが多いです。その脚本家を基準にして、キャラクターの表現の振れ幅が適正かどうかを判断します。

『ザ・シークレット・ハンター』シリーズで多くの脚本を書き、番組のエグゼクティブ・プロデューサーにも名を連ねるコールマン・ラックは、自らをマッコールという登場人物に重ねています。彼は番組のほぼ最初から四年間にわたり、多くのキャラクター決定に関与しました。

「脚本家チームの誰かが、あるキャラクターになりきるんだ」と彼は言います。「書き手とキャラクターの間に共感が必要だからね。そうする以外にないと思う。僕の中にもマッコールに似た部分がある。僕はマッコールではないし、CIA諜報員でもないが、人生経験なら少しはある。従軍してベトナムに行き、二十二歳で戦闘もして、本当にいろいろあったからね。マッコールの考え方や罪悪感、寛容さや免罪を求める気持ちもわかる。内省して、自己をある程度知らなければ、キャラクターのこともわからない。まったく不可能だろうね」

身体の外見を描写する

小説の読者は登場人物の姿を思い描きます。ほとんどの小説は読者のために、それを意識した人物描写をしています。

『アメリカのありふれた朝』のように外見の描写をあえて避け、人物の心の機微を描く小説もあります。このような場合も読者は心理描写を読み取って、キャラクターの姿を思い描きます。

映画脚本ではほぼ必ず、一行か二行、人物のディテールの描写を入れます。読み手や出演候補の俳優たちの関心を引くためです。

身体の描写は人物の他の側面を想像させるヒントになります。わずかな描写から、読者は他の性質やディテールを連想し始めるのです。

筆者の顧客ロイ・ローゼンブラットの脚本『Fire-Eyes』には、次のような描写がありました。「仕事を長くし過ぎたような、やさしい顔の男」

さて、これを読んで、他にどんなことを想像しますか？　この男は疲れているのかな、と考え始めたかもしれませんね。あるいは、冷たい感じを想像したでしょうか？　やさしい顔とありますから好感が持てそうですが、長く働いていれば仕事や同僚に対する葛藤もあるかもしれません。あるいは、疲れ切っているか。彼に同情する人もいるでしょう。では、この男の歩き方や話し方が思い浮かぶでしょうか？

小説ではこうしたディテールが即座に人物像と結びつく時もあります。シャーロック・ホームズ、ブラウン神父、エルキュール・ポアロ、ミス・マープル――世界的に有名な四人の探偵を思い出してみましょう。

アーサー・コナン・ドイルの描写では、シャーロック・ホームズは長身で鷹を思わせるような顔。鹿撃ち帽を被り、長いグレーの旅行用外套を着ています。鋭い観察力があり、冷徹で几帳面な男です。[*1]

G・K・チェスタトン作のブラウン神父は背が低くて小太りのカトリック司祭で、いつも茶色い小包と大きな蝙蝠傘を持っており、ユーモアと知恵と洞察力があります。[*2]

アガサ・クリスティ作のエルキュール・ポアロは小柄なベルギー人で、卵型の頭をしており、几帳面。[*3]ミス・マープルは老婦人で「とてもチャーミングで無垢であり、ふわふわとした、ピンクと白の老婦人であり、古風なツイードの上着とシャツを着て、スカーフを二枚、鳥の翼の飾りがついた小さなフェルト帽をかぶっている」[*4]

脚本では特に、身体の動きを描写すると印象がはっきりします。肩をすくめたり、首をかしげたり、独特の歩き方をしたりといった身体表現は俳優にとって重宝し、役作りのヒントになります。「かわいい」や「強い」、「ハンサムな」といった形容詞を演技で具体的に表現するのは難しく、あまり役に立ちません。映画『危険な情事』の脚本ではアレックス・フォレストの外見や服装、年齢への意識が書かれています。

その時、魅力的なブロンドの女性が通り過ぎる。（中略）彼女は振り向きざまに視線を投げかけ、彼は立ちすくむ。（中略）センセーショナルな外見だ。三十代に違いないが、流行の服を着こなし、若く見せている。

もう一つ、筆者の顧客カット・シアとアンディ・ルーベンが共同脚本を手がけたホラー映画『Dance of the Damned（未）』（一九八九年）の主人公の描写を紹介しましょう。身体の動きや感情、意図など、俳優が演じる上で役立つディテールはいくつあるでしょうか？　本編全体にわたって描かれるキャラクターの願望も、このト書きから読み取れます。

男はガラスに映る自分の姿から目をそらす——端正な顔だ。子どものような無垢さと、現実離れしたような悲しさ。だが、首をかしげる動きには——異星人のような異質さと猫のような気まぐれ、捕食者の優雅さがある。

また、別の顧客サンディ・スタインバーグは脚本『Curses』に次のようにコミカルなテイストを加えています。

はっと飛び起きるマリア・テレサ、五十代。グァテマラ出身、小さな夢に大きな身体――体重百八十ポンドの豊満な体軀をピンクのテディに無理やり包み、セクシーな下着はパツパツ。彼女はニンニクの房を胸元で握り、呪文を唱え始める。

俳優の演技を意識して書くなら、ある程度は誰にでも演じられるような幅と、はっきりと人物像を打ち出す具体性の両方が必要です。俳優の想像力を刺激し、他の性質が連想できそうな描写をすれば、演じがいを感じてもらえます。

人物のコアをはっきりさせる

キャラクターには一貫性が必要です。それによって先が予測でき過ぎてつまらなくなるとか、ありきたりになるなどというわけではありません。リアルな人々と同じように、作品に登場するキャラクターにもコアとなる性質が必要です。その人物が誰で、どうふるまうかを定義づける特徴です。このコアから外れた時に「意味がわからない」「納得がいかない」という感想が出てきます。

バリー・モローは「『やっぱり、あの人ならそうすると思った』と言わせる部分もキャラクターの魅力なんだ。人物像や過去、倫理観や道徳観や世界観を観客がつかんだら、キャラクターはそれを裏切らずに楽しませなくてはならない」と言っています。

宣伝プロデューサーのマイケル・ギルはこう付け加えています。「キャラクターも友だちと同じで、ある程度の一貫性が必要だ。会うたびに態度が変わる友だちは困るよね。時間をおいて会った時に気分や心理がいきなり豹変しても、いやだろう。

僕たちは親しみがある特徴をもつキャラクターを求めている。だから、いいキャラクターが作れたら、いかに新鮮さを保ちつつ、一貫した感情やディテールを維持できるかが腕の見せどころになるよ」

キャラクターの性質は単独では存在しません。一貫した基本の性質から、その他の性質も派生します。たとえば、仮に『インディ・ジョーンズ』シリーズ最新作のストーリーを書くとしましょう。登場人物の一人は宗教学の教授だとします。ある貴重な工芸品の隠し場所の情報がキリスト教の歴史に隠されており、教授はその分野の権威です。では、このキャラクターに当てはまる真実は何だと思いますか?

教授が博士なら、研究を積んだ学者です。図書館や書店にある膨大な書籍の中から、わかりにくい情報もみな簡単に探し出すでしょう。哲学や教会の歴史、社会学や人類学にも関心があるはずです。

北米の大学や神学校で学位を取得した場合は人文科学を学んでいます。芸術や文学に加え、科学の単位も一つか二つは取っているでしょう。文学や音楽、芸術や建築が好きだとしても、一貫性とは矛盾しません。古い教会を訪ねる旅行も好きでしょうし、トルコやイスラエルやエジプトで考古学的な調査をしたかもしれません。ギリシャ語やラテン語、ヘブライ語ができてもおかしくはないでしょう。

このように、一つの特徴から多くのことが想像できます。メンデルスゾーンの楽曲に親しんでいる人物は、おそらくフェルメールやレンブラントの絵画にも詳しいでしょう。農場で育った人物はトラクターや車の修理方法を知っているでしょうし、天気図の見方も知っているでしょう。やり手の株式ブローカーは日本の経済のパターンについても詳しいでしょう。

どれも当たり前のようですが、一面的にしか設定されていないキャラクターは、その当たり前のような特徴を何も見せないケースが多いのです。母親なのに道で子どもが泣いていても平気だとか、ブラジル育ちなのに異国のレストランでポルトガル語の会話が聞こえても無反応といったキャラクターにならないように気をつけましょう。筆者は実際に、あるテレビドラマで、見たものを瞬時に記憶する能力があるキャラクターが、記念日や流行歌の作曲家の名前を思い出せないのを見たことがあります。

これらはキャラクターに一貫性がない例です。特別な理由があるなら、それを明らかにすべきでしょう。そうしなければ、クリエイターがうっかりミスをしているように見えてしまいます。

エクササイズ

「画商」「殺人者」「ガソリンスタンドの店員」のそれぞれにふさわしい特徴を考えてください。最初に思いつく特徴はありきたりかもしれませんが、さらにブレインストーミングをして、一貫性がありながらも深みがある特徴を見つけましょう。

一つか二つしか思いつかないなら、それはまだステレオタイプかもしれません。固定概念から離れてアイデアを出し続ければ、ユニークな特徴がたくさん連想できるでしょう。どれを使うかは厳選する必要がありますが、あなたがキャラクターのコアにある本質を理解していることは読者や観客に伝わります。

矛盾を付け加える

キャラクターは常に一貫性を保っているわけではありません。理屈に合わず、何をしでかすかわからない面もあります。意外な行動に出てイメージを覆す時もあるはずです。こうした意外性は、その人物を長く知った後でわかります。意外なディテールが出てくれば読者や観客は興味を引きつけられます。また、そうした矛盾が魅力や個性を作る基盤にもなります。

矛盾は一貫性を損なうものではありません。プラスになるものなのです。筆者が創作したキャラクターの中に、新約聖書を専門とする宗教学の教授がいます。温和で控えめですが、専門知識はなかなかのもの。多くの著書もありますが、けっして威張らず、学問に高い意識をもっています。はっきりとした信念があり、宗教に関することならどんな問題でも、自分の見解を学生に示します。まさに一貫性のあるキャラクターのお手本のようです。

しかし、この教授はかつてはカウボーイで、投げ縄の名人でもあります。三年か四年に一度は誰かが彼の技を見たいとせがみます。また、彼はユタ州の塩原でモーターレースに出ていたことでも有名でした。これらの要素はみな、教授を魅力的なキャラクターにします。

小説家レオナルド・ターニーも矛盾がキャラクターの魅力を引き出すと言っています。「正反対の特徴を混ぜるとキャラクターは面白くなります。そのためには、まず、特徴を一つ決めること。それから、『この特徴とぶつかり合うような要素は何だろう？』と考えるんです。たとえば、家庭的な性格。その性格自体は特に葛藤を生みません。でも、この家庭的な人物が、もし週末に友人たちと遠出をして、身体を使ったワイルドな活動をするなら意外です。そのようにして、面白さを感じさせる方向に持っていきます」

アンナ・フェランは『愛は霧のかなたに』で実在の人物ダイアン・フォッシーを描く際に、矛盾に着眼しました。映画には入っていませんが、アンナはダイアンの矛盾に強く惹かれたそうです。「ダイアンはタバコとチョコレートの中毒みたいになっていました。一日にハーシーのチョコバーを十五本から二十本食べたりして。彼女が殺されてすぐの頃、この意外性をどう描こうかと考えていました。アフリカの奥地の、こんな小さなトタンの小屋に、ニューヨークの高級デパートのタグが付いたドレスが置いてある。それに突き動かされるようにして、脚本を書いたんです。つまり、矛盾ですね。いったい、クローゼットに緑の舞踏会用のドレスなんかを吊るして、この女性は何をしているのだろう、って」

『風と共に去りぬ』のスカーレットは男たちを惑わす女として登場します。男たちを意のままに操るイメージですが、読み進めていくと、学生時代は数学が得意だったとわかり、驚きます。危機的な状況でも冷静で決断力があり、勇敢であることも明かされます。『ワンダとダイヤと優しい奴ら』（一九八八年）のオットーは愚かで神経質で嫉妬深い反面、ニーチェを読み、瞑想をする一面もあります。『ブロードキャスト・ニュース』のジェーンは敏腕プロデューサーですが、毎朝五分間を泣く時間に当てています。どれもキャラクターを豊かにする矛盾です。

エクササイズ

あなたにはどんな一貫性と矛盾がありますか？　友人にはどんな一貫性と矛盾がありますか？　あなたが一番好きな親戚や、一番嫌いな親戚ではどうでしょうか？

感情、態度、価値観を付け加える

一貫性のあるキャラクターを作るだけでも多面性が生まれることがわかりました。矛盾する面をいくつか加えれば個性が豊かになります。さらに深めたい場合は感情、態度、価値観を加えてください。

感情はキャラクターの人間性を深めます。『ワーキング・ガール』のテス・マクギルは秘書としてつらい思いをしており、感情移入を促します。彼女が上司の嘘に気づくと、観客も裏切られた悲しさや、やるせなさを感じます。テスがふと見せる感情によって観客は彼女と心がつながり、彼女が何に動かされているかがわかるでしょう。

キャラクターに感情移入させる名作はたくさんあります。『ロッキー』（一九七六年）では観客もロッキーのフラストレーションを感じます。『炎のランナー』（一九八一年）ではレースに勝ったハロルドの喜びを共に味わいます。『シェーン』（一九五三年）では憧れ、『普通の人々』（一九八〇年）ではコンラッドの憂鬱、『恋人たちの予感』（一九八九年）ではサリーが初めてハリーに出会った時の不快感、戯曲『危険な関係』ではヴァルモン子爵の自己嫌悪に共感します。

感情は俳優の演技でも表現ができ、定義づけはさまざまです。筆者はある心理学者がうまく韻を踏んで「マッド、サッド、グラッド、スケアード（怒り、悲しみ、喜び、恐れ）」と言うのを聞いたことがあります。まず手始めに、これを並べてみましょう。

マッドは怒り、憤り、フラストレーション、イライラ
サッドは落ち込み、絶望、がっかり、自暴自棄、メランコリー
グラッドは喜び、幸せ、高揚感
スケアードは恐怖、戦慄、不安

小説『アメリカのありふれた朝』では主人公コンラッドの憂鬱な感情を次のように描写しています。

朝ベッドから起き出すには、はずみをつけてくれるきっかけが必要だ。何かお題目みたいなもの。バンパー・ステッカーの文句だっていい。（中略）彼はベッドに仰向けになり、部屋の壁を眺めまわす。あれだけ集めた謳い文句の数々は結局どうなってしまったのだろう。壁を汚さないように慎重に壁紙に張りつけて、画鋲でとめておいたのに。今じゃひとつも残っていない。（中略）今じゃ壁はむき出し。ペンキは塗りたて。淡いブルー。落ち着かない色だ。不安はブルー、失敗はグレー。こういった色とはおなじみだ。いつだかクロフォードに愚痴をこぼしたことがある。このての色がいつもぼくのベッドの裾に腰を落ち着けて、ぼくを麻痺させ、ぼくを辱める。[*5]

筆者はコンサルティングで脚本に感情面が欠けていると気づいたら、それぞれの人物がシーンで感じていることに注目し、ストーリーをたどるようアドバイスしています。すべての感情を書き足す必要はありませんが、感情がわかれば人物像は豊かになり、シーンに深みが生まれます。

態度は意見や視点や、いろいろな状況下でキャラクターが示す傾向です。態度は人生観を表しますから、

キャラクターを深く表現できます。キャラクターの主観で描写がしやすい小説は特に、態度を詳しく伝えることができます。書き手は人物の内面に入り込むようにして考え、人物の視点に立って描けます。『刑事ジョン・ブック 目撃者』のノベライズ版小説では夫ジェイコブの葬儀に対するレイチェルの態度が読み取れます。

レイチェル・ラップは棺の前の椅子に座り、背後の説教師の言葉に慰めを見出そうとしていた。アーミッシュにとっての葬儀は祝祭だ。これもまたキリスト教徒にとっての栄光。だが、レイチェルにとって、そのような気持ちになるのは難しい時があった。残された子孫はたいてい幸せに長生きしたが、それでもレイチェルにとって死は暗いものであり、いくら説教を聞いてもその印象を拭い去れなかった。[*6]

レイチェルの主観で葬儀が語られ、彼女の死に対する態度が読者に伝わります。また、短い段落ながら、彼女の反骨精神も窺えます。死について、レイチェルは他のアーミッシュの人々と同じ捉え方をしていません。再婚を先延ばしにするためにボルチモアの姉を訪ねようとしたり、ジョン・ブックと納屋でダンスしたりするなど、アーミッシュらしくない決断をするのもこの態度と一致しています。

キャラクターは他のキャラクターに対する態度も持っています。自分自身やシチュエーション、出来事や問題に対する態度もあります。『TVキャスター マーフィー・ブラウン』のシーズン1第15話（ダイアン・イングリッシュ脚本）では、主人公マーフィーを訪ねてきた母親に対して他の人物たちがさまざまな態度を表しています。

マーフィーが母親を紹介するとスタッフは驚きます。

フランク　お母さんだって？　うわぁ、きみにもお母さんがいたんだね。

マーフィーの母エイブリーは前夫に対する態度を見せています。

ジム　じゃあ、ブラウンさん、ご主人もご一緒に？

エイブリー　いいえ。ブラウン氏は自分の歳の半分ぐらいの女とシカゴにいるわ。私は一五年前に離婚したの。家とお金をたんまりもらってね。パンツ一丁で外に叩き出してやったわ。

マーフィーの母親の訪問に対する態度も確認できます。

マーフィー　好きなことのランキングを二人で挙げたら、「お互いの家に行く」と「チーズの端っこを食べる」が同点ね。

新人キャスターであるコーキーの母娘の関係についての態度もわかります。

コーキー　それじゃ、一泊目の夜は二人で何を？

エイブリー　（中略）マーフィーと晩ごはんに行って（中略）ホテルに帰るわ。

コーキー　ホテルに？　（中略）マーフィー！　お母さんをホテルに泊まらせるの？

バーテンダーのフィルはエイブリーへの態度を示しています。

フィル　なんてきれいな人だ……あの美しいふくらはぎ。

エイブリーは娘と自分自身に対する態度を見せています。

エイブリー　あなたは私の最高傑作。でも、どういうわけか脱線しちゃって、戻らなくなったのよね。母さんが非を認めるなんてびっくりでしょ。

ダイアン・イングリッシュはコメディの──そして、ドラマの──鍵は状況に対する態度だと述べています。『人物はここでどんな態度を見せるかしら』とよく考えます。態度が曖昧だと、脚本は味気なくなりますからね。状況によって態度があらわになり、出来事が起きて複雑になって、笑いが起きるのです。

プロデューサーのマイルズがマーフィーに、自力でやらずに弁護士を雇えと説得するシーンを書いた時は、初稿がまったくダメでした。マイルズの態度が欠けていたからです。ただ情報を伝えるだけで面白味がありません。そうかと言って、どういう態度を取らせるかも思いつかず、散髪したてで登場させることにしました。彼は弁護士を勧めているのに、マーフィーは彼の髪ばかり見るわけです。彼は自分の髪型のひどさに気がつきますが、知らないふりをし続けます。こうして彼に態度が生まれ、笑いを生むコメディになりました。単に情報を提示するだけでなく、キャラクターから何かが引き出せて、よかったです」

エクササイズ

最近見た映画や、読んだ小説などを思い出してみましょう。キャラクターの主観に立って、思考や生き方、シチュエーションが理解できましたか？　他の映画についても考えてください。『愛と哀しみの果て』のカレン・ブリクセンのアフリカに対する態度や感情は？　『恋人たちの予感』のハリーとサリーの愛と友情に対する態度は？　『風と共に去りぬ』のレット・バトラーの南北戦争に対する考えは？　はっきりと描写されていなくても、キャラクターの視点がきちんと伝わるように表現されているはずです。

価値観の描写は書き手自身の考えや哲学、信念体系などを表現するチャンスでもあるでしょう。でも、必ずしも自分のものとは限りません。観察から得たものをキャラクターに与えて描く場合もあります。『刑事ジョン・ブック 目撃者』の次のシーンには、レイチェルの価値観（家の中に拳銃を置いておくこと）や、アーミッシュの暴力に対する考え方が表れています。

部屋でジョン・ブックが少年サミュエルに拳銃を見せている。そこにレイチェルが入ってくる。

レイチェル　ジョン・ブックさん、ここでは私たちのルールに従ってほしいわ。

ジョン　そうだな。安全な所にしまっておこう。あの子に見つからないように。

この後に、サミュエルが祖父イーライと話すシーンがあります。イーライはコミュニティの価値観を見せています。

イーライ　あの拳銃は人の命を奪う。お前は人を殺すかい。

サミュエルはじっと俯く。イーライはかがみ、両手をおごそかに差し出す。

イーライ　手に持つものは、心に入る。

間。サミュエルは何か、反抗するような言葉をつぶやく。

サミュエル　殺すのは悪い人だけだよ。
イーライ　悪い人だけか。なるほど。見ただけで悪い人がわかるか？　心の中の悪いところが見えるか？
サミュエル　やってることは見える。僕は見た。
イーライ　見たら、自分も同類になるのか？　悪い人を見た人が悪い人になって、それを見た人がまた悪い人になるのか……？

イーライは手を離し、少しうなだれる。厳しい目でサミュエルを見つめ、手のひらをテーブルに強く押しつける。

イーライ　「だから彼らの間から出て行き、彼らと分離せよ、と主は言われる！」
（拳銃をさし、コリント人への手紙6章17節を唱え続ける）
「汚れたものに触れてはならない！」

価値観のために命がけで戦うことを描く映画はたくさんあります。『シルクウッド』（一九八三年）や『チャイナ・シンドローム』（一九七九年）、『インディ・ジョーンズ』シリーズなどはみな、自らの価値観に従って動くキャラクターを中心に展開します。

危機に直面し、倫理的な選択を迫られる人物を描く映画も多いです。『ブレックファスト・クラブ』（一九八五年）では五人の人物がアイデンティティを巡って葛藤します。『ナティ物語』（一九八五年）は父親を探し求める女性の危機を描いています。『スクープ 悪意の不在』（一九八一年）や『告発の行方』（一九八八年）は人としての高潔さを学ぶ人物を描いています。

『いまを生きる』（一九八九年）は今という瞬間に生きることの価値を描きます。

こうした人生的なテーマの他に、キャラクターを駆り立てる力が働く映画もあります。許しや和解、愛や故郷を求める心が『シェーン』や『ワンダとダイヤと優しい奴ら』、『E.T.』（一九八二年）などに描かれています。

価値観を描くのに、キャラクターが信念を語る必要はありません。葛藤と対立の中で見せる行動や態度に価値観が表れます。

ディテールを描く

感情、態度、価値観を足せばキャラクターは多面的になります。さらにワンステップ、キャラクターに独自性を与える方法があります。それは、ディテールを加えることです。

物事をなす時のこまかい所作は、外見が似た者どうしの違いを際立たせます。人にはみな、はっきりした特徴があり、その人なりのディテールを持っています。

例として、筆者の友人や知人のディテールを挙げましょう。

- ひとこと言うたびに「〜でしょう」とか「絶対」と付け加える人
- ハンドバッグにぬいぐるみを二個ぶら下げている三十歳の女性
- 出会う人みんなに折り鶴をプレゼントする人
- 反骨精神のしるしとして、スーツを絶対に着ない三十五歳の男性
- いつも部屋でジャズを流している四十歳の男性
- プライベートの時だけ変わったイヤリング（バナナやフラミンゴ、オウムやブーメランの形）を着ける女性

ディテールが印象的なキャラクターもいます。マーフィー・ブラウンはストレスがたまるとＨＢの鉛筆の芯をへし折ります。インディ・ジョーンズは蛇が苦手で、いつもお気に入りの帽子を被っています。

『All in the Family』に登場するアーチー・バンカーはドラマの中で義理の息子を「ミートヘッド（間抜け）」と呼びます。

アクションや仕草、言葉遣いやジェスチャー、衣服や笑い方、状況に対する独特なアプローチなどもディテールです。

ディテールはその人の不完全さに由来することがよくあります。神話学者のジョーゼフ・キャンベルは『神話の力』でこう述べています。「『作家は心理に対して忠実でなければならない』（中略）それは一種の殺し屋になることを意味します。なぜなら、ある人間を忠実に描く唯一の方法は、その人の欠点を並べ立てることだからです。完璧な人間なんて面白くありません。（中略）人間らしくありませんから。人間のへそのように中心的な要素、つまり人間性があってこそ――超自然的ではなく、不死不滅でもない――人間らしい存在になれるのです。（中略）愛の対象になるのは（中略）苦難です。苦難は不完全さではないでしょうか[*7]」

キャラクターの不完全さは『ワンダとダイヤと優しい奴ら』（強盗団の一員ケンの吃音）や一九八九年公開の『セックスと嘘とビデオテープ』（主人公が潔癖症で情緒不安定）などの傑作映画にも見られます。ノーラ・エフロン脚本の『恋人たちの予感』では、サリーの人間性を表すディテールについて、ハリーが次のように語っています。

屋内　大晦日のパーティー　夜

ハリー　ずっと考えていた。わかったんだ、君を愛してるってことが……たいして寒くもないのに風邪を引く君が好きだ。サンドウィッチを注文するのに一時間もかかる君が好きだ。あきれて僕を見る時に、眉間にちょっと皺を寄せるのが好きだ。君と過ごした次の日もまだ僕の服に香りが残っているのが好きだ。それから、夜寝る前に話す相手が君だってことも。大晦日だから言っているんじゃないよ。今日ここに来たのは、残りの人生を誰かと過ごしたいなら、すぐにそうすべきだと気づいたからさ。

エクササイズ

あなたの友人や知人を思い出してみましょう。どんなディテールが印象的ですか？　いいなと思うディテールは？　いやだと思うディテールは？　それらをキャラクターに取り入れるとしたら？

▼ケーススタディ――『ミッドナイト・コーラー』

『ミッドナイト・コーラー』は一九八八年秋にプレミア放映されたテレビドラマです。クリエイターのリチャード・ディレロが主人公ジャック・キリアンの創作過程を語ってくれました。

「いつも、最初にキャラクターの名前を考えるんだ。二日ほどかけて候補をリストアップするよ。ジャック・キリアンはたぶん三十代。過去に何かがあって、刑事をやめて『ナイトホーク』と名乗るＤＪになる。自分のミスで仲間を死なせたというバックストーリーは重すぎるかもしれないが、取り返しがつかないほどダークな何かが必要だった。

パイロット版では二つの短いシーンで、彼が酒浸りになっているところを描いたよ。そんな彼に救いの手を差し伸べるキャラクターがデヴォン・キングだ。罪悪感に苦しむ彼にチャンスを与える。

ジャックは普通の刑事でもある。ブルーカラーだ。高度な学問とは縁がない。正直なところ、ハーバードのビジネススクールを卒業して警官になりはしないよ。警官になるタイプはスポーツやロックンロールを好む。

ただ、彼は読書家で、それが一味違う繊細さを生んでいる。現代小説の中でもジャック・ケルアックやレイモンド・カーヴァーの大ファンだろうな。ジャックは自分の人生哲学を作ろうとしているんだ。彼の知性は高尚なものというよりは、ストリート寄りだ。彼は本能に従って動く。肉体的な感覚で動いて、多くの失敗をする。だが、彼は大多数の刑事とはまったく違う。他の刑事たちは冷めきっているんだ。仕事の闇に染まり、人としての心を置き去りにしている。だが、ジャックは人々に同情し、気にかける。たぶん、自分の悩みがうまく解決できなくて、人助けの方が簡単だと気づいたんだ。彼自身は生きることに不器用だね。誰かと一緒に落ち着くことは苦手だが、誰かが誰かと絆を結ぶ助けはうまいし、アドバイスもできる。

人々とふれあい、人生を豊かにすべきだと彼は気づいたんだと思う。彼は普通の刑事よりも感情表現が豊かだが——ストイックでもなく、抑圧してもいない——そんな自分を嫌っているんだ。もう少しクールになれたらな、って。だが、人が偉そうにしていたり、偽善や不公平な態度を見ると憤る。官僚主義にもフラストレーションを感じている。彼はシンプルなものが好きだ——うまいものを食ってエルヴィス・プレスリーを聴き、野球でひいきのチームが勝っていれば機嫌がいい。

彼は孤独を愛しているように見えるが、実は違う。愛する人はエイズを発症していて、ウイルスを感染させた男に憤っている。ジャックの心はまだ成長過程にあるんだ。

ジャック・キリアンは自分の倫理観や価値観に従う。彼の人間性がこのドラマで最も大切だ。時々、彼はそれをブラックユーモアでごまかすけどね。視聴者が自分の世界を理解する助けをしているのは間違いない。毎回、エピソードの最後にジャックがその日のしめくくりの言葉を言う。ヒーローっぽくなるように意図しているけど――ちょっと変わったヒーローだ。彼は行動する男であり、思索する男でもあることを見せている」

クエスチョン

キャラクターの創作の大部分は観察から生まれます。観察力の「トレーニング」は日常生活でも続きます。空港や食料品店や職場で人々を観察し、次の質問に答えてください。

- そのキャラクターを一言で表すとしたら？
- 文脈から推測できる真実は？　矛盾する特徴を与えてさらに面白くできるか？

次に、あなたのストーリーに登場する主要なキャラクターについて答えてください。

- キャラクターは「理屈に合っている」か？　そのキャラクターにありそうな特徴をたくさん表現できているか？
- キャラクターを面白くするものは何？　説得力を出すには？　魅力的にするには？　違いを出すには？

意外性を出すには？　キャラクターは時々、意外なことをしているか？　そこでの矛盾はキャラクターの一貫性に反するか、キャラクターの人間性を豊かに広げているか？

- キャラクターは何に関心を向けているか？　価値観が表れているか？　その価値観を長い独白で語るのではなく、行動や態度で示しているか？
- キャラクターの感情ははっきりしているか？　同じ感情ばかりではなく、いろいろな感情を幅広く表現しているか？
- キャラクターの態度から人物像が窺えるか？

キャラクター創作のプロセスは続きます。普段の生活をしている時も、ひらめきやアイデアを求めて観察をし、ディテールを蓄積してください。広告ディレクターのセデルマイヤーもこう言っています。「まず、リアリティから始める。真似をするなら、リアリティの真似をするよ」

まとめ

キャラクターの創作はアーティストの仕事と同じだとバリー・モローは言っています。「粘土細工か木彫りに似ている。皮を剝ぎ終えるまで完成しない」

キャラクターを完成させる六つのステップは次のとおりです。

1. 観察と体験を元にキャラクターのアイデアを作り始める
2. 主な特徴を選んでキャラクターの人物像を決める
3. キャラクターに一貫性を与える
4. 変わったところや矛盾した特徴を加え、キャラクターを魅力的にする
5. 感情、態度、価値観を与えて深みを出す
6. ディテールを加えて個性と独自性を表す

第3章

バックストーリーを作る

初対面の人と会った時、その人の経歴が知りたくなりますか？　次のような質問をしたことはあるでしょうか。

- ご出身はどこですか？　今の場所に住むようになった経緯は？
- なぜその仕事に就いたのですか？　前はどんな仕事をしていましたか？
- ご結婚されて何年ですか？　出会いは？

過去が知りたくなるのは、どんな決断の裏にも面白いストーリーがあるからです。何かの事情があったり（その町に住めなくなった）、恋愛（フランス留学中にエッフェル塔の上で出会った）、汚職（裏金で豪邸を買った）といった物語があるかもしれません。現在は過去の出来事や決断の結果として存在します。そして、選んだことが未来の選択肢を作ります。

小説や映画脚本で描く話は前面に出る**フロントストーリー**と呼べるでしょう。そして、フロントストーリーの登場人物たちにも過去があり、その結果として何かをしたり、ある状態になったりしています。過去にはトラウマや危機もあったでしょう。大切な出会いや人から言われた心に残ることや、幼い頃の夢や希望もあり、社会や文化の影響も受けてきたはずです。

バックストーリーの情報は二種類あります。一つはストーリーの構築に直接影響を及ぼす過去の出来事です。小説『失われた私』〔映画『Sybil（未）』（一九七六年）原作〕や『The Three Faces of Eve（未）』〔映画『イブの三つの顔』（一九五七年）原作〕、『ハムレット』、『アメリカのありふれた朝』、『市民ケーン』はバックストーリーの出来事がフロントストーリーの重要な鍵になっています。観客や読者も、書き手も過去の経緯を把握して、物語をたどります。

もう一つはキャラクターのおいたちです。作品の中ではいっさい明かされないものもありますが、作り手にとって知っておくべき情報です。

キャラクターを創作する際に設定する態度や体験のうち、どれが重要かを知るために、バックストーリーが役に立ちます。

バックストーリーでどの情報を知るべきか？

俳優は人物のバックストーリーをかなり研究します。高名な演出家で演技教師であり、自らも俳優だったコンスタンティン・スタニスラフスキーはキャラクターの伝記を書くよう俳優たちに勧めています。劇作家で教師のラヨシュ・エグリも著書『The Art of Dramatic Writing（未）』で劇作家に同じことを勧めています。キャラクターの伝記には次のような情報が含まれます。

身体面：年齢、性別、姿勢や動き方、容姿、身体的な欠陥、遺伝

社会面：社会的な階級、職業、学歴、家庭生活、宗教、政治的関心、趣味、娯楽

心理面：性生活と倫理観、野心、フラストレーション、気質、人生に対する態度、コンプレックス、能力、IQ、性格（外向的か内向的か）[*1]

伝記を書くことについて、脚本家のカール・ソーターはこう述べています。「キャラクターの伝記を三ページも書くなら、気をつけた方がいい。書くのはいいが、書いたら捨ててしまおう。過去を把握できたら、あとは自然に任せるといいんだ。本編を書いているうちに生まれてくる部分も多いからね。人物の過去を三ページ分、創作するだけなら誰にだってできる。後で役に立つものもいっぱい見つかるだろう。でも、そこで終わりではないんだ」

『暴力脱獄』（一九六七年）、『狼たちの午後』（一九七五年）、『ブルース・ウィリス／イン・カントリー』（一九八九年）などを手がけてきた脚本家で映画監督のフランク・ピアソンはこう付け加えます。「俳優が知るべきことを、書き手も知っておくべきだ。大切なのは感情の記憶だよ。何が起きたかではなく、それについて何を感じたかが大切。キャラクターに何かを尋ねるなら、次のような質問は避けることだ。『どこの学校を卒業したの？　工場で働いた経験はある？　お母さんは怖かった？』。尋ねるといい質問はこうだ。『一番恥ずかしかった出来事は？　自分をバカだと感じたことは？　自分にとって最悪だった出来事は？　人前で吐いてしまったことはある？』。そうやって感情を引き出すことが大事なんだ。キャラクターはこうした感情をシーンに持ち込み、すべてに彩りを添える」[*2]

バックストーリーはキャラクターによって異なり、伝記のすべてが役立つとは限りません。ハムレットが子どもの頃にしていた遊びや初恋の相手がわからなくても『ハムレット』は書けますが、『屋根の上のバイオリン弾き』にとっては必要な情報となります。

まずキャラクターを作ってからバックストーリーを考える人が多いでしょう。途中で必要な情報がないことに気づいたり、キャラクターが想定外の反応をして驚く時があるはずです。ある状況下でのキャラクターのあり方がはっきり設定されていないのかもしれません。「なぜ？」「何を？」と尋ねながらバックストーリーを見つける作業を続けましょう。

●なぜカレン・ブリクセンはアフリカに行ったのか？　デンマークで暮らしていた時に、何が移住の動機になったのか？

●『危険な情事』のアレックスはなぜダンと結婚して子どもを作りたいと思ったのか？　三十六歳の彼女が狂気に至った裏側には、どんな人生経験が影響しているか？

●『アメリカのありふれた朝』のベス〔コンラッドの母親〕はなぜ、自分や他人の気持ちを感じることを恐れているのか？　息子たちが幼くて手に負えなかった頃、彼女はどんなふうだったか？

●『TVキャスター　マーフィー・ブラウン』のマーフィーがアルコール依存症になったのは、過去に何があったからなのか？

●なぜブルース・ウェインはバットマンになったか？

　バックストーリーを知ることは新しい友人と知り合うことに似ています。過去を知れば関係が深まります。プロデューサーで脚本家のコールマン・ラックは「キャラクターの人生の全貌を見ようとする、ということさ――見つめる過去を探すんだ。祖父を訪ねて、どんな人だったかを聞くみたいに。ただ座って耳を傾け、事実を寄せ集めたり、核心に迫る質問をして本質を知ろうとしたりね」と語っています。

　バックストーリーを知るために、発見を重ねましょう。まず、質問を考えます。そして過去を尋ね、現在の決断や行動に影響を与えたものを探してください。

　ウィリアム・ケリーとアール・W・ウォレスが『刑事ジョン・ブック　目撃者』の脚本を書いていた時、

ケリーはジョン・ブックがずっと独り者であることを不思議に思いました。彼はウォレスにそれを指摘し、共に答えを考えました。

「ジョン・ブックは謎めいた男だったよ」とケリーは語ります。「恋愛経験が豊富だとは思えない。僕がアールに『変だよね？』と言うと、彼は『忙しくて、時間がなかったんだろう』と言った。僕は『そんなわけないさ。僕はロサンゼルスで一番忙しい刑事を二人知っているけど、デートの時間はちゃんとあるし、二人とも結婚しているぜ』と反論した。彼が『まあ、彼は堅物ではないね』と言ったのが、ジョン・ブックを把握するのに役立った。ジョン・ブックに関する設定の大部分はアールが考えていたが、僕がノベライズに着手した時にはもっとこまかく人物像を作る必要に迫られた。ジョン・ブックを徐々に、ぶっきらぼうで恋愛に関心が乏しく、鋭い質問ばかりして女性を怖がらせるような人物に変えていった。彼と親しくなった女性はレイチェルが三人目かもしれないね――一人は彼の姉だ」

ジェームズ・ディアデンは『危険な情事』のアレックス・フォレストについて、こう説明しています。「彼女はストーリーが始まる六ヶ月ほど前に、ある年上の既婚男性と破局したばかりなんだ。アレックスは結婚してもらえると思っていたが、当てが外れて、とても寂しい。この男性と別れて孤独に沈むシーンを本編に入れていたが、後でカットした」

バックストーリーの情報をみな本編に入れる必要はありません。どちらの例でも、書き手はキャラクターを理解するためにバックストーリーを求めました。しかし、ストーリーラインには不要です。

脚本家のカート・リュードックはこう語ります。「バックストーリーはいくら準備しても足りないね。すべての疑問を完璧に解決して脚本を書き始めるなんて話は聞いたことがない。わかったつもりでいても、書くうちに、ふと気づく。キャラクターのこの態度はどこから来たのかな、と。逆に、キャラクターの動きがわかり過ぎていて、シーンがつまらなく感じる時もある。だから、時々、僕はこう考える。『もし彼が、ここで当たり前のことをしないとしたら？　もし彼女が、彼女らしいことを言わずに、正反対のことを言ったらどうなる？』と。四回に一回は面白いものができるよ。そのためにはバックストーリーをもっと探らなくてはならない」

バックストーリーが明かすものは？

バックストーリーはキャラクターの行動の理由を明らかにします。また、心理のヒントとなる過去の情報を与えてくれます。『危険な情事』では、公園で戯れながら走っている途中に、ダンが倒れて死んだふりをするシーンがあります。彼の行動がアレックスのバックストーリーの情報を引き出しています。

アレックス　ひどいわ。
ダン　ああ、ごめんよ。ちょっとふざけただけだ。
アレックス　父は心臓発作で死んだの。私が七歳の時に。

このやりとりを聞くと、それまでのアレックスの行動が腑に落ちます。父親といえば、女の子にとって人生で最初に出会う重要な男性です。その父を亡くした結果、彼女は男性不信に陥り、また依存もしています。父の死のトラウマは恐怖や不安の引き金にもなるでしょう。アレックスはすぐに「嘘よ」と否定しますが、ダンはそれが嘘ではないと気づきます。幼少期の出来事がアレックスの行動に対する疑問の答えを提示します。

戯曲『危険な関係』のメルトゥイユ侯爵夫人は自分がいかに社会の影響を受けているかについて、次のように説明しています。

ヴェルモン どうしてあなたはそう自分を取り繕えるのかな。

メルトゥイユ 仕方ないでしょう。私は女よ。女は男よりも巧みでなくてはならないの。（中略）男はいつだって女を破滅させられる。男を見下したところで、ますます男が上だと思い知るだけ。（中略）取り繕うのは当然よ。誰一人、私でさえも思いつかなかったような逃げ道も考えるわ。その場で即座にやってのけなきゃならないのだから。私はうまくやってきた。男たちをぎゃふんと言わせるために生まれてきたのだもの。（中略）社会に出た時には心得ていたわ。おとなしく従順にしろと言われてきたけれど、それはじっと目をこらし、耳を傾ける絶好のチャンス。人の命令なんて聞くもんですか。そんなものはどうだっていい。私が聞くのは彼らが隠そうとしていることよ。私は無関心を装った。（中略）見せかけを装う術を徹底的に学んでね。何を考えるべきかを哲学者に、何をごまかせるかを小説家に学んだわ。いまや私のテクニックは完璧よ。[*3]

ジュディス・ゲストの小説『アメリカのありふれた朝』では、バックストーリーからベスの支配欲が窺えます。彼女がなぜ息子の死と向き合えないかがわかるのです。ベスの夫カルヴィンの主観で書かれた情報を見てみましょう。

今でもはっきり思い出せるが、あの頃の彼女は自分が足をとられたと思いこんでいたものだ。ジョーダンが二歳。よちよち歩きで兄貴のあとを追いまわすコニーはやっと十ヶ月。町の北側のあのちっぽけなアパートで二人はいたずらの限りをつくした。タダボウット過シタアノ最初ノ五年間！　パーティの席でベスが楽しげにそんなことを言うのを聞いたことがある。ぼうっとだって。でもおれの目には今でもまざまざと浮かんでくる。あの子たちの姿や、大騒ぎの数々が——壁についた子供の指の跡を吹き落しながら腹立たしさにきりきりしていた彼女。子供たちがおもちゃを出しっぱなしにしたり、子供用の椅子からほんのちょっぴり食物をこぼしたりしただけで、彼女は突然泣き出したりしたものだ。彼女と一緒に腹を立てたところでどうなるものでもなかった。一度だけ我慢しきれなくなって、いまいましい掃除のことなんかきれいさっぱり忘れちまえ、と怒鳴りつけたことがある。彼女はかっとなって毒づいた。そしてヒステリーを起してベッドに身を投げ出した。何もかも完璧でなければ気のすまない彼女。そのために自分ばかりか家族全員がどれほど辛い目に会おうと少しも意に介さない。毎日、毎週、毎月の果てしない繰り返しを考えてみれば、これほどまでの完璧を目ざしたところで何の意味もないだろうに。[*4]

なぜ愛することを恐れるか（おそらく過去に傷ついたため）、なぜ態度が冷たいか（おそらく愛する人を亡くしたため）といったことがバックストーリーからわかります。動機や行動、反応についての洞察も得られます。今のキャラクターのあり方を作った過去を見せるのがバックストーリーです。

バックストーリーの情報はどれぐらい必要？

バックストーリーの情報を作品に盛り込み過ぎて失敗する人はたくさんいます。フラッシュバック（回想）やモノローグ、キャラクターが見る夢のシーンを使うと過去の情報が多くなり、現在進行中のストーリーに集中しづらくなってしまいます。

ドラマとして見ごたえがあるのは現在――今、目の前で起きていることです。過去の出来事は現在に影響していても、それ自体はドラマ的ではありません。

「キャラクターが今、どう反応するかを描くべきだ。書き手がその理由を――それを招いた過去の出来事を――知っていれば、それでいい。観客に説明する必要はない」とカール・ソーターは言っています。

キャラクターの過去を何もかも伝えると、本当に重要なことが伝わりにくくなります――つまり、現在におけるキャラクターの気づきです。バックストーリーをたくさん語る必要はありません。キャラクターが過去を語りだすと物語は停滞し、つまらなくなりがちです。長い独白や回想、状況説明に力を入れ過ぎないようにしてください。

氷山のたとえを思い出しましょう。バックストーリーの九十パーセントは作品に入れる必要がなく、書き手だけが知るべきことです。キャラクターの動機や行動の理由が窺えるぐらいでじゅうぶんです。バックストーリーが豊かであるほどキャラクターは豊かになります。

バックストーリーは随所に散らして、小出しにするとうまくいきます。前に挙げた例のように短いセリフに凝縮し、慎重に配置して、フロントストーリーを輝かせてください。

小説のバックストーリー

小説でもバックストーリーの働きは同じですが、利用のしかたは少し異なります。筆者はサンタバーバラ在住の四人の小説家と会い、取材とリサーチをおこないました。みな講師業もしているため、新人にもベテランにも役立つヒントをくれました。

レオナルド・ターニー「一九世紀の作家は小説の冒頭にバックストーリーを書いていました――キャラクターの幼少期から始めていたのです。たっぷりとキャラクターの世界を描写するから、全体がとても長い。現代の小説でそれは難しいでしょう。フロントストーリーがメインで、映画のような書き方が好まれます。映画でも、オープニングのクレジットが流れる前に、もうストーリーが始まっていたりしますよね。ほとんどの現代小説はそれに似ています」

デニス・リンズ（マイクル・コリンズ名義で『鮮血色の夢』や『フリーク』など著作多数）「大事なのはあなたが書くストーリーなのだから、その中にバックストーリーをうまく入れるといい。僕はバックストーリーを把握したつもりで書いていて、たまに『いや、過去を変えなきゃ合わなくなるぞ』と思う時がある。バックストーリーをあたかもリアルな過去のように感じても、結局は作り話だからね――ただの空想さ。だから、書きながら操ればいい。粘土細工のように足したり重ねたりしてキャラクターに厚みを出す。創作するのさ。バックストーリーは、それが必要になる時までは書き入れてもドラマチックにはならない。どうしても必要になった時に初めて使うんだ」

シェリー・ローエンコフ（『The Love of the Lion（未）』や『Love Will Make You Drink and Gamble, Stay Out Late at Night（未）』などの著書をもつ）「バックストーリーを考えるのは、すべての登場人物の願望と、お互いの相関図ができた後ですね。バックストーリーは裏で紡ぐものですから。私はキャラクター全員の背景を埋めていきます。バックストーリーの情報はあまり重要ではない――それが必要になるまでは！前に起きたことを理解したい時や、動機を説明する時に必要になります。でも、時系列順に考えたりはしません」

ゲイル・ストーン「書き始める時は、意識すべきことが多くて混乱するかもしれませんね。手に負えなくて意気消沈することもあります。だから、新人のうちはバックストーリーをできるだけ知っておくと安心ですよ。経験を重ねるうちに、頼らなくてもいいようになるでしょう。最初にいくつかの事柄を決めて書き始め、あとは話の流れで自然に発見できるようになるんです。私は前もってキャラクターを知り尽くしておこうとは思いません。執筆しながらぱっとひらめいて、びっくりするのが好きです」

テレビドラマシリーズのバックストーリー

テレビドラマ『Dear John（未）』や『ギリガン君ＳＯＳ』、『逃亡者』、『ビバリー・ヒルビリーズ／じゃじゃ馬億万長者』はオープニングクレジットが流れる間にバックストーリーを見せ、前回までの流れを視聴者に伝えていました。それ以外のドラマも、ストーリーの発案やキャラクター展開にバックストーリーを活かしています。過去に関わりがあった人物をストーリーの中心に置く時もあります。キャラクターがなぜそのような反応をするか、裏づけとなる理由もバックストーリーで用意したりします。バックストーリーの情報が多いほど登場人物は複雑になり、視聴者が毎週見たくなるような連続ドラマに発展します。

『ザ・シークレット・ハンター』の主人公ロバート・マッコールがよい例でした。クリエイターのコールマン・ラックは理由をこう述べています。「シリーズ物ではキャラクターの内面に潜在的なものを作っておく。常に新鮮な発見ができるようにね。ロバート・マッコールはかつてＣＩＡの諜報員としてトップクラスだった。その地位を捨てた今、彼は自分の過去を苦々しく思い、憤っている。その理由をシリーズの中で明かしていく。それが番組のロードマップだ。

　謎を解いていくために、かつてマッコールと関わりがあった人物たちが登場する。たとえば、彼の強敵だったコントロールという名のキャラクター。この人物の登場で、マッコールの複雑な過去をひもとくチャンスができる。

　マッコールとコントロールは多くの面で関わりがある。だから、マッコールの深みと多面性をいろいろと引き出せるんだ。二人は何年も前から知り合いだから、互いへの怒りや思いやりなど、多くの感情が引き出せる」

『こちらブルームーン探偵社』の脚本家たちは、主人公デヴィッドの人物像を広げるために新しい背景を探しました。カール・ソーターはこう語っています。「あるシーズンで、デヴィッドに結婚歴があるとわかったんだ。そりゃそうだ、と思えたし、その事実を使ってあるエピソードが書けた。こうしてエピソードを書きながらバックストーリーを作っていったよ。

きっかけは、面白いストーリーを考えようとしていた時なんだけどね。彼には奥さんがいたはずだ、と誰かが言い出して、みんな驚いた。そして、『だとしたら悲惨な別れだっただろうな。だからデヴィッドは何もなかったような顔をしているのか』と辻褄が合った。彼の元妻が急に登場しても違和感がない、とてもいいストーリーができた」

バックストーリーの情報が必要な状況とは?

シチュエーションによってはバックストーリーの情報がいくらか必要な場合があります。それは、物語の中でキャラクターが大きな変化を見せる時です。なぜそのような行動に出るか、なぜそう決断するかの裏づけとして、バックストーリーを使います。

たとえば、キャラクターが復讐を決意する場合。俳優チャールズ・ブロンソンの映画の多くはその理由をバックストーリーで説明していました――凶悪犯罪者が裁きを受けずに野放図になっている、という背景です。あるいは、キャラクターが命がけで使命を果たそうと決意する場合。シルヴェスター・スタローンやチャック・ノリス出演の映画の数々に見られます。また、『ベスト・キッド』(一九八四年)や『マーフィのロマンス』(一九八五年)ではある土地への移住、テレビドラマ『ザ・シークレット・ハンター』のパイロット版のエピソードでは元ＣＩＡ諜報員ロバート・マッコールの転職の理由が説明されます。

人生の転機における決断では、必ず過去の状況が動機を与えています。キャラクターが突然何かを思い立ったり、変わった行動に出たりする時は、バックストーリーを出して説明をするといいでしょう。たとえば平凡な主婦が突然、未解決の犯罪の捜査に乗り出すとします。その理由と共に、警察でさえお手上げの事件を素人の自分が解決できると思う根拠もバックストーリーで示す必要があります。

もちろん、それをフロントストーリーの中で描くことも可能です。被害者が彼女の夫か恋人か子どもだとすれば、動機もわかります。それでも、バックストーリーでさらに補強するとよいかもしれません。大学時代は法学部、調査が得意、法律に詳しい、探偵小説のファン、人権団体のメンバーで正義感が強い、父親が刑事、母親が未解決事件の被害者、といったことが考えられます。

こうしたバックストーリーの情報はみな、キャラクターが突然変わった行動に出る理由の説明になります。キャラクターが刑事なら、捜査をするのが当然ですからバックストーリーはあまり必要ないでしょう。それが主婦なら、行動の動機を裏づける情報が必要です。

エクササイズ

ストーリーの初めに登場人物がヒンドゥー教の珍しい芸術品を探しにインドへ行く決意をしたとします。バックストーリーやキャラクターのおいたちに関して、あなたにはどんな情報が必要でしょうか？　そして、視聴者が必要とする情報は？　動機について知るべき情報は？　職業や趣味は？　特技は？　危機的な出来事か誰かとの競合、課題などがあるでしょうか？　なぜ、今、この旅をすべきなのでしょうか？　時代設定が一九二〇年と一八二〇年では、バックストーリーの情報はどう変わるでしょうか？

▼ケーススタディ――『TVキャスター マーフィー・ブラウン』

『TVキャスター マーフィー・ブラウン』は一九八八年一一月一四日に開始したテレビドラマシリーズです。初回パイロット版はマーフィーのバックストーリーだけを描いています。彼女がアルコール依存症者の回復施設で「断酒」期間を終えて社会復帰するところです。これについて、脚本家のダイアン・イングリッシュはこう述べています。

「依存症の施設はマーフィーについて多くを物語ります。衝動的で、時には情緒不安定。施設を出た彼女には何も頼るものがありません。試練を経て再出発しようとするキャラクターの姿を初回で描きました。

この最近のバックストーリーが状況設定を兼ねています。また、彼女の知られざる一面も見せています。まず、彼女は業界で大成功した人物であること。他の人物たちにもバックストーリーを表現させたくて、何人かが彼女の噂をする場面を書きました。俳優ウォーレン・ベイティを取材した時のことや、かつてタバコを吸い、お酒を飲んでいたこと。マーフィーは有名人ですが嫌われてはおらず、面倒な人だけど、みんな彼女が好き。好感度があり、共感を得るキャラクターにしました。

また、彼女が一人っ子であり、人と分け合うことを知らない面も見せました。自分で自分のことをするマーフィーを見た視聴者は、その理由を知りたく思うでしょうから、親を登場させる必要がありました。母親が登場すると、マーフィーの人格形成の背景がよくわかります。母親は彼女以上に派手な人。母親の前でマーフィーは、いじけてしまいます。しかも、彼女は大人になってから『アイラブユー』と母親に言ったことがありません。これがストーリーの核になっています。

あるエピソードではマーフィーの前夫が登場します。彼とはたった五日間で離婚しました。昔の彼女は衝動的な生き方をしていたわけです。以来、ずっと一人で二十年間も生きてきたマーフィーは、彼との再会で動揺します。自分はまだ魅力的か？　彼はまだ魅力的か？　彼は今の自分を見てどう思うか？　自分のこれまでの生き方は真っ当だった？　いろいろな思いが交差します」

あるエピソードにはマーフィーが仕事に採用された時の回想シーンが出てきます。「一九七七年に彼女とフランクがオーディションを受ける場面です。ぼさぼさの髪でタバコを吸い、お酒を飲んでいた頃のマーフィーが見られます。映画『アニー・ホール』に出てくるような帽子を被り、スニーカーを履いて、仕事なんてどうでもいいとうそぶき、反抗的な態度です」

バックストーリーは主人公以外のキャラクターにも役立ちます。「ジム・ダイアルの結婚生活や子どもの有無、私生活や、髪をおろしたらどうなるか、といったことに視聴者は興味を持ったでしょう。南部出身のコーキーも同様です。マイルズについても、二十五歳でどうやって採用され、両親はどんな人で、彼を自慢に思っているか。兄弟はいるか。マイルズよりも一つ年上の兄を登場させて、マーフィーと交際するエピソードを検討しました。

マーフィーの父親も登場させました。再婚相手の若い妻との間に生後八ヶ月の赤ん坊がいます。お互いの家を訪問するエピソードがあれば、一人娘のマーフィーと面白いやりとりができるでしょう。腹違いの弟ができて、父の後妻が自分よりも若いのですから。

キャラクターをある状況に置いて新しい人間関係を持たせると、人物像がよくわかります。ただステージに上げて語らせるだけでは足りません。リアクションをせざるを得ない状況に遭遇させる方が、ずっとうまくいきます」

このようにして主人公の人物像が表現され、キャラクターどうしの関係がパワフルに描かれています。

クエスチョン

キャラクターのバックストーリーを作りながら、次の質問に答えてください。

- バックストーリー作りは発見のプロセスになっているか？　ストーリーにふさわしくない事実や過去を無理に作らず、自然に展開できるよう慎重に考えられているか？
- バックストーリーの情報をストーリーに入れる時は、必要な情報を必要な分だけ入れるよう注意しているか？　長いセリフで説明せず、随所にうまく散りばめているか？
- バックストーリーの情報を最大限簡潔に、凝縮して提示しているか？　動機や態度、感情や決断が一つの文から読み取れるように書いているか？

まとめ

バックストーリー作りは発見のプロセスです。時間軸を行ったり来たりして考える必要があります。現在を深く理解するために、過去についての質問を重ねながら、ストーリーを創作していきましょう。バックストーリーはキャラクターを豊かに広げ、深めます。説得力のあるキャラクターの創作の鍵となることもしばしばです。

第4章

キャラクターの心理を理解する

キャラクターの心の動きや動機を理解するのに心理学者になる必要はありません。深い心理描写で知られる小説家ジュディス・ゲストもこう言っています。「私は心理学の授業は大学で一つ履修しただけです。逸脱者の心理についての授業でしたが、おかげで人間の行動に強い興味が沸きました。行動の理由をいろいろな方面から眺め、動機を考えるのが好きです」

キャラクターの創作には外見や行動だけでなく、心理的な動きの理解も必要です。

クリエイターは人が何に駆り立てられ、何を求めて行動するかを知らねばなりません。「書くことの半分は心理学だ」と脚本家のバリー・モローは言っています。「行動には確かなコアや一貫性がある。人間は何も考えずに行動するわけじゃない。まず、人が一般的におこなう行動を知っておくべきだ。人は理由もなく行動はしない。必ず動機や意図がある」

キャラクターの心理と聞けば、多重人格障害〔現在は、解離性同一性障害と呼ばれている〕を描いた『Sybil』や『イヴの三つの顔』の他、『リサの瞳のなかに』（一九六二年）や『I Never Promised You a Rose Garden（未）』（一九七七年）、『レインマン』などに登場する非凡な人格が思い浮かぶかもしれません。しかし、どんなキャラクターにも潜在的な動機や意識は存在します。

キャラクターの心理の成り立ちを理解するために、『レインマン』のチャーリー・バビットとレイモンド・バビットの二人を見てみましょう。兄レイモンドは自閉症ですから専門的なリサーチが必要なのは明らかですが、弟チャーリーの心理を理解することも重要です。というのも、チャーリーの心理が物語を前に進めていくからです。この章では以後、『レインマン』のストーリーを作ったバリー・モローと、脚本のリライトを担当したロン・バスの談話を引用しながらご説明しましょう。

「スティーヴン・スピルバーグがこの企画に参加した時〔スピルバーグの他にも複数の監督の手に渡り、最終的にバリー・レヴィンソンが監督に決定」、チャーリーもまた自閉症的な人格だと話し合った」とロン・バスは言っています。「二人の自閉症の兄弟の物語として捉えたんだ。一人は臨床的に自閉症で、もう一人はいわゆる普通の人がもつ自閉症的な特徴がすべてある、という意味だ。『レインマン』は絆を結ぶことの難しさと、その大切さを描いている。人づきあいなどなくていい、その方がうまくいくし安心だ、とみな思っているけれど――それは間違いだ」

　では、キャラクターの心理を理解しやすいように、「内面のバックストーリー」「無意識」「キャラクターのタイプ」「アブノーマルな行動」の四つに分けて見ていきましょう。これらはどんなキャラクターを創作する時にも重要です。

　この章の内容のほとんどは、すでに感覚的につかんでいたり、心理学の知識で得たりしてご存じのことでしょう。キャラクターの創作にはこうしたカテゴリーを知った上で、想像力を働かせることが必要です。そして、キャラクターのある面を見直したり、問題点を解決したりする際に、カテゴリーの知識が役立ちます。「このキャラクターはこんなことをするだろうか？」「こんなことを言うだろうか？」『こんな反応をするだろうか？」と疑問に思った時に、心理の側面を考えてみてください。

「内面のバックストーリー」を使ったキャラクター設定

　第3章で見てきた過去の出来事は、キャラクターへの外側からの影響でした。その出来事の影響がネガティブかポジティブかによって、キャラクターは異なる反応を示し、出来事を心の中で抑圧したり、捉え直しをしたりします。そのような心理に影響を与えた環境そのものよりも、その環境に対してキャラクターがどう反応するかに注目しましょう。

シグムント・フロイトは過去の出来事の影響に気づき、心理学の理論を打ち立てました。過去の出来事が現在の行動や態度、不安さえも形成するというのです。人物のコンプレックスや不安は過去のトラウマが原因だとフロイトは考えました。過去の出来事を深層心理で抑圧するため、異常な行動が生まれると考えたのです。

カール・ユングは過去の暗い出来事が、むしろすこやかさの源になると考えました。幼い頃の体験を見直すことによって、心の病は回復し得ると主張したのです。

幼少期の体験をキャラクターの創作に活かす人はたくさんいます。クリエイターのコールマン・ラックはこう言います。「脚本術を教えていた頃、心理の面で僕が重要視したのは幼少期を理解することだったよ。もう一つ挙げるなら、大人の内面にもまだ過去の子どもの部分が残っていると理解すること。それがわかれば、キャラクターに影響を与える幼少期の出来事が作れる」

精神分析家エリク・エリクソンはすこやかで調和性と適応力がある大人になるには、年代ごとに対峙すべき問題があると主張しています。未解決の問題が残れば成長過程に左右し、多くの場合はネガティブな影響があると説きました。

幼い子どもが直面する問題の一つは信頼です。子どもは安心感を得るために、まず、親と信頼関係を結びます。それが欠けると、人を信頼しづらいまま成長します。

『レインマン』のチャーリーは、子どもの頃にネガティブな出来事とポジティブな出来事の両方を体験しています。その影響について、ロン・バスは次のように語っています。

「チャーリーが二歳の頃、父は実業家として多忙な日々を送っており、子どもに関心を向けなかった。だが、チャーリーはそれを覚えていない。まだ二歳だったし、やさしい母とレインマンがいたからね。この兄は十六歳か十八歳で、ずっと家の中にいて、チャーリーを抱きしめては歌を歌ってくれた。

だが、突然、母が亡くなった。二歳の子にはトラウマとなる出来事だ。愛を求める年頃なのに、仕事一筋の父は冷たい。唯一、癒しをくれていた兄も、家から追い出されてしまう。『バイバイ、レインマン。バイバイ、レインマン』と、とても悲しい別れをするんだ。チャーリーは二歳の時に心の支えをすべて失った」

「レインマン」はチャーリーの記憶の片隅に残っていました。父の葬儀を終えて実家に戻り、ふいに思い出すのです。そして、彼は恋人のスザンナにこう言います。

チャーリー　さっき思い出したよ。小さい頃ってさ……ほら……空想の友だちを作るだろ？　僕のは、えっと、なんて名前だったかな。レインマン。そう、レインマンだ。不安で毛布にくるまっていたら、レインマンが歌を……何時間も、ずっと歌ってくれた。すごく怖かったんだろうな。ずっと前だけど。

スザンナ　いつ、いなくなった？　その友だち。

チャーリー　さあね。大きくなったら消えたんだろう。

幼児の頃に信頼関係が得られなければ、その問題は生涯残ります。心が安定している時はわからなくても、それが揺らぐと信頼の問題がまた浮かび上がるのです。

『愛は霧のかなたに』の脚本家アンナ・ハミルトン・フェラン はダイアン・フォッシーの強迫的な行動

を理解する必要性を感じました。心理学者に相談すると、「その女性は一一歳の時にどこにいましたか？その年齢の時に何をしていましたか？」と尋ねられたそうです。伝記によると、ダイアンがその年頃の時に母親が再婚していました。「ダイアンは一一歳の時に一人ぼっちになりました。それまでは放置されたことなどなかったでしょう。なのに、お手伝いさんしかいないキッチンで、一人で食事をせねばならなくなりました。母親や新しい父に疎まれ、自分の部屋で過ごす日々。彼女は孤独を知り、人間不信に陥りました。動物と一緒にいる方が楽だと気づき、それ以来、死ぬまで人間不信だったのでしょう」

安心や愛や信頼関係がなければ、子どもは心のよりどころを失い、自分自身を信じることもできなくなります。家族に愛してもらえないのは自分のせいだと感じます。学校に通う年頃になると、その批判を自己に向けて真面目になり過ぎるか、愛されなかったことの反動で強がったり、反抗的になったりします。憤りは自己の内面に向けられるか（「自分はダメだ」）、外側に向けられるか（「お前なんか嫌いだ」）です。

自尊心や自己への信頼が欠けるとアイデンティティに影響が及びます。親に批判ばかりされた子どもは親の考えを元にアイデンティティを形成します。この問題は高校に入る十代の頃に特に強くなります。大人の世界で、大人としての決断をする準備を始める年頃だからです。

多くの青春映画はこの問題に焦点を当てています。『卒業白書』（一九八三年）や『ベスト・キッド』、『ブレックファスト・クラブ』、『プリティ・イン・ピンク／恋人たちの街角』（一九八六年）などはみな、保守的な両親や社会に対して主張をぶつける若者たちを描いています。

エリクソンはまた、健全な家庭環境は子どもの自主性を高めると説いています。逆に、大人になっても批判や拒絶を恐れていると、自分の意思で決断をするのは困難になります。

『レインマン』のチャーリーの心に影を落とし続けているのは、父からの愛情の不足です。幼い頃からチャーリーは愛を求めて我慢をし、必死で父を喜ばせようとしました。

ロン・バスはこう言っています。「父は自閉症のレイモンドを疎ましく思って遠ざけたが、実はチャーリーも同じように遠ざけられていたんだ。彼は何をしても父に認めてもらえない。どうしたってだめなんだ。父にとって長男は自閉症児で不完全。次男には完璧を求めたが、期待外れだと感じているからね。チャーリーは成績もいいし、ハンサムだ。でも、父は満足しない。父の度を越した完璧主義のせいで、チャーリーは何をやっても認められなかった。

チャーリーは反抗的な子ではなかったと思うよ。本能的に父の愛や、やさしさを求めていたはずだからね。得られなければ、さらに強く求める。幼い彼は父に褒められようとして、すごく頑張っただろう。だが、ことごとく、だめだった」

一六歳になったチャーリーは一度、父に反抗します。自分が「悪い」ことをしても父は愛してくれるだろうか、と。彼はスザンナにこう打ち明けます。

チャーリー　そういえば、一度あったよ。外にオープンカーが停めてあるだろ？　父の車だ。あれと、薔薇。車には触らせてもらえなかった。クラシックカーには敬意が必要だってさ。子どもはダメ。高校生の時、一六歳の時に成績がオールAだった。成績表を親父に見せて、ビュイックに友だちを乗せて遊びに行っていいかって聞いた。ご褒美にね。親父はダメだと言った。だが、俺は乗って出かけた。鍵を盗んで。こっそりと。

スザンナ　どうして？　どうしてその時？

チャーリー　だって当然だよ。いい成績を取ったご褒美さ。親父の言う通りにね。厳しかったからさ。で、レイクショア通りをドライブした。四人でね。ビールも四人分、六本パックを買って。そしたら捕まった。盗難届けが出てた。息子が勝手にうちの車を、という話じゃない。普通の……泥棒扱いさ。（間）クック郡の留置所にブチ込まれた。友だちの親はすぐ迎えに来た。俺の親父は来なかった。二日間も。酔っ払ったヤツは吐いてるし、変な奴はうようよしてるし、俺をレイプしようとするヤツもいた。二回も。あの時だけは……本当に怖かった。チビりそうだったよ……心臓はバクバクで……息が詰まるほど怖かった。後ろからナイフを突きつけられて……それが……。

スザンナ　……傷なのね。肩の近くの。

チャーリー　それで、家を出た。二度と帰らなかった。

この出来事から、彼は父に愛されていないと思い知ります。

バスによると、「だから彼は父と縁を切ることにした。決定的な瞬間だ——一六歳の時に、彼は父の前から姿を消した。何もかも捨てたんだ——大学進学もね。チャーリーは頭がいいから、どこかで起業でもして成功するタイプだが、父の思い通りになってたまるかという反抗心のせいで、結局、自分の人生を破壊した。

では、どうする？　もっといい暮らしが望めるほどの能力はある。父は実業界で成功した億万長者。一六歳までは父を目指して頑張った。ずっと反抗してきたのとは違う。むしろ逆で、父の自慢の息子になりたかった。それを捨てて去る時に、なんと言うだろう？　自分を壊して父も傷つけてやる、とは言わないさ——人はそこまではっきり自覚はしない——その代わり、こう言うだろう。『親父はバカだ。俺が求めてきたのは嘘っぱちのニセモノばかり。ロボットみたいになるのはごめんだね。俺は親父よりも簡単に、さっさと成功してやるぜ。誰の世話にもならずに自力で――やってやる！』

そして彼は家出をし、ハスラーになった。賢く立ち回って自動車関係の商売をしているが、その前にも仕事をごまんとしてきたはずだ。失敗しても、まあまあ挽回できるから、一文無しにはなっていない。だが、チャーリーは失敗をしたがっている。いつも心のどこかで父が正しいと信じている。父を憎んでいるが、心の奥では父の言う通りだと思っているから、父に負け犬と言われたら自分は確かに負け犬だと思うだろう」

幼くして信頼関係を失ったチャーリーは、成長しても人を愛することができません。

精神分析家エリクソンは、孤立を解消するのは成人期だとしています。配偶者や友人、同僚たちとの親密な関係づくりを学ぶ時期です。人間不信や罪悪感などの問題が残っていれば、親密な関係が結びにくくなります。

「チャーリーはスザンナと真剣に交際しているわけではない」とロン・バスは続けます。「彼女は自立しているし、結婚の約束を求めてもいない。クールで、いつ別れたって構わない。彼もそれは同じで、実質的なことは何も求めていない。ただチャーミングな笑顔を見せて、好きという気持ちを示すだけでじゅうぶんだろうと言わんばかりだ。だが、レイモンドがいなければ、彼は二ヶ月前に彼女を失い、それっきりだっただろうね。彼は旅に出て、変わり始めた。スザンナを失って、彼女の存在の大切さに気づく。彼からの電話で彼女がほろりとするのは、そんなチャーリーを見たのは初めてだからだ」

変わり始めたチャーリーは、自分の過去に対してもポジティブな捉え方をし始めます――兄レイモンドとのつながりも。幼い頃に遊んでくれたのはレイモンドだったと気づく場面は映画でも美しいサプライズとして胸を打ちます。チャーリーは兄と心を通わせていたことを思い出すのです。

この変化がストーリーの核です。「兄との旅で学んだチャーリーはスザンナと幸せな家庭を築き、周囲にも暖かい人間関係を広げるだろうな、と映画を観終わった人が感じてくれたら嬉しい」とバスは言っています。

内面の問題が解決しなければ、彼はまた危機に見舞われるでしょう。エリク・エリクソンはこれを「親密性vs孤独」と呼んでいます。これは自分の才能が発揮できていない場合に起きる問題で、成人期を迎えて人生を振り返った時にも意識に上ります。

その後、四十歳以上の壮年期で「生殖vs自己吸収」の危機が訪れます。達成感や社会貢献だけでなく、その意味や価値を考える時期です。人生を振り返り、意味や深みが見出せなければ、絶望感やアルコール依存症、鬱や自殺につながることもあります。映画『評決』(一九八二年)と『ロジャー・ラビット』(一九八八年)はジャンルが大きく異なりますが、目の前にある危機を通して過去を清算し、心の糧を得るストーリーです。

エクササイズ

チャーリー・バビットの未来のストーリーを考えてみましょう。四十歳のチャーリーがまだ父の評価を潜在的に気にして失敗ばかりしているとします。彼はどう挽回するでしょうか?

六十歳になったチャーリーが人生の意味を振り返る時、まだ父の支配から抜け出せていないとします。彼は絶望をどのように表現するでしょうか?

チャーリーが問題をすでに乗り越えていたとしたら、四十歳と六十歳の時の彼はどのようになるでしょうか？　兄との関係は？　映画がその先の未来を描き続けるとしたら、どのようになるでしょうか？

「無意識」を使ったキャラクター設定

私たちが意識で気づいていることは、精神領域のわずか十パーセントだと言われます。残りは無意識で、私たちの動機を生む力として働いています。フィーリングや記憶や体験、植えつけられたイメージは生後すぐの時から無意識層に蓄えられていきますが、しばしば、ネガティブなものとして覆い隠されます。そのために、意識とは矛盾する行動が生まれます。自分でも、なぜそんなことをするのか理解できない場合もあるでしょう。

意識で理解できなくても、多くの要素が私たちを動かしているわけです。まったく自分らしくない行動に駆り立てられる時もあるのです。

みな、あたかも自分のことがわかっているかのように話します。でも、人の話をよく聞いてみると、第一印象とはずいぶん違う面があることに気づきませんか？　たとえば「私はとても正直なの」と言いながら、実は本心を絶対に見せようとしない女性。あるいは、初対面ではやさしい物腰だったのに、後で乱暴な一面を見せ、自分でもその理由がわからないでいる男性。こうした人々は無意識層にある支配欲や残虐さに駆り立てられているのかもしれません。

行動が無意識によって左右されることはほとんど知られていません。ネガティブな要素は否定されたり、です。都合よく理屈をつけられたりします。心理学で「シャドウ（影）」「人格のダークサイド」などと呼ぶものです。

過去に実際に起きた事件の数々にも、シャドウの影響が窺えます。テレビでも活躍していた有名な伝道師が性的なスキャンダルで失脚したり、法と秩序を守るべき大統領が汚職事件で辞任に追い込まれたりしています。

無意識のシャドウには怒りや性的欲求、抑鬱などが隠れています。キリスト教の七つの大罪である憤怒、貪食、怠惰、傲慢、嫉妬、強欲、色欲も当てはまるでしょう。

いけないことだと思って否定をすると、抑圧された無意識はさらに強くなります。そして、思わぬところでうっかりと、とんでもない言葉や行動となって表れます。抑圧すればするほど反動は強く、困った問題を引き起こすのです。

シャドウの側面を作品に描きたい時もあるでしょう。バリー・モローはこう言っています。「僕がストーリーを書いたテレビ映画『Bill（未）』（一九八一年）と『Bill on His Own（未）』（一九八三年）は人間のポジティブな面を取り上げている。『レインマン』では逆に、人間の動機の暗い側面や強欲さ、ものの見方の狭さや忍耐力のなさを描きたかった。チャーリーは僕のダークな面を表しているよ――それは誰にでもあるものだ。マザー・テレサも怒る時があるだろうし、ローマ教皇も何かが我慢できない時があるだろう。誰にでも善と悪、光と闇、陰と陽の両面がある。『Bill』は光と希望で、『レインマン』はその逆だ」

ダークな面を描くといっても、ストーリーがバッドエンドになるわけではありません。「できるかどうか、やってみたかったんだ。ダークな面を描いても、最終的には人との絆と人生を取り戻し、痛みを乗り越えて、明るい結末にできるかどうかをね」とモローは語っています。

チャーリーは自分が父への愛と承認欲求のために行動しているとは気づいていません。ロン・バスによると、「チャーリーは自立を目指す一方で、拒絶されて傷つくのを恐れている。父の愛に飢えている。どうせ父は愛してくれない、でも父の方が正しいんだ、自分は何をやってもうまくいかないんだと思っている。次こそはうまくいくと期待しながら何度も同じことをくり返す。それは人生で最も大きな問題だ。チャーリーは父が間違っていることを証明したい反面、心の奥ではやっぱり父が正しいと言い続けている。父の手を借りずに成功すれば、父の誤りが証明できるかもしれない。父に愛されなくても、自力で生きていけるようになる」

無意識は行動や仕草や言葉に表れます。キャラクターは隠れた動機や意味を意識していませんが、言葉や行動は無意識に影響を受けているのです。

「キャラクターのタイプ」を使ったキャラクター設定

私たちはみな同じ人間でも、同じタイプではありません。人生経験もそれぞれ異なりますし、ものの見方や認識も違います。

おおまかな特徴を大別して描くために、キャラクターのタイプが昔から使われてきました。

中世やルネサンスの作家たちは肉体を四つの要素に分けて考えました。物質が土、風、火、水の四要素に分けられるのにならい、気質を四つに分類したのです。キャラクターの主なタイプを身体の体液の傾向に従い、黒胆汁、血液、黄胆汁、粘液の四種類に当てはめました。

黒胆汁の気質は憂鬱で考え込みがち。センチメンタルで繊細で消極的です。シェイクスピアの劇の登場人物でいえば、ハムレットの暗くて優柔不断な性格や、『お気に召すまま』のジャックの愚痴っぽさは黒胆汁のメランコリーな気質の表れです。

血液の気質は快活で慈悲深く、朗らかで好色。数々のシェイクスピア作品に登場するフォルスタッフはこの気質です。

黄胆汁の気質は短気で怒りっぽく、頑固で執拗。オセロの嫉妬やリア王の性急さはこの気質の極端な表れ方を示しています。

粘液の気質はおだやかでおとなしく、沈着冷静。ハムレットの学友ホレーショが一例です。

一人の内面で四つの気質が完全に調和していれば完璧です。バランスが崩れると人格も偏り、不適合や狂気にもつながります。

『ジュリアス・シーザー』のブルータスはほぼ理想的なバランスを見せています。登場人物のマーク・アンソニーはブルータスを「ローマ人の中で最も高潔」と称えています。

……あらゆる要素が
彼の内面でうまく混ざって本質が浮かび上がる
だからすべての民に言えるのだ、「これぞ男だ！」と。

イアン・フレミングは短編小説集『007／オクトパシー』の酔っ払いの描写で四体液説を用いています。

「血液質の酔っぱらいはヒステリックで愚かな様子で陽気に騒ぐ。粘液質は陰気な沼に沈み込む。黄胆汁質は酔った勢いで人や物をぶちのめして牢屋でたっぷり過ごす。黒胆汁質は自己を憐れむ泣き上戸だ」[*1]

シェイクスピアはキャラクターどうしの関係にも関心を向けています。世界観が調和するタイプどうしは相性がよく、そうでなければ葛藤と対立が生まれます。迅速な行動や反応を好む黄胆汁質の人物は、じっくり考える粘液質の人物にいらだちます。陽気な血液質の人物は黒胆汁質の人物と一緒にいると気が滅入ってしまいます。

気質のタイプの分け方は時代と共に見直されてきましたが、キャラクターの描き分けや対立関係を作る際の基礎知識として、知っておくといいでしょう。

カール・ユングは外向的、内向的の二つに分けて考えました。外向的な人は自己の外側の世界に意識を向け、内向的な人は内面のリアリティに意識を向けます。外向的な人は集団になじみ、人づきあいもうまく、パーティーや社交を好みます。内向的な人は一人で過ごしがちで、読書や瞑想などを好み、自己の内面を見つめようとします。

ドラマでも実際の社会でも、ほとんどの人物が外向的です。アクションを起こし、葛藤を表面化させてストーリーをダイナミックにします。他の人々にも働きかけ、関係を積極的に築きます。一方、『レインマン』のように内向的なキャラクターがパワフルになる例もあります。行動的なキャラクターと組めばアクションが起こり、物語が展開できます。

ロン・バスはこう語ります。「レイモンドは確かに内向的だね。典型的な自閉症の人は、木や物と人間の違いがわからない。人を人として認識しづらいんだ。

チャーリーは外向的なふりをしているが、実は彼も内向的。人々の間で気楽にしているのは、なんとかできると感じているからだ。彼はかっこいいし、チャーミングだからね。でも、人づきあいを心から楽しんではいないだろう。いつも瞳の奥で何かを考えている。人は自分に何を求めているのか、自分は人に何を求めているのか、とね。本当は孤独が好きだろう。周囲に対して壁を作っているよ。怒りっぽくて饒舌で、アグレッシブで積極的だが素直になれない。自分にも他人にも、本当の気持ちを隠しているんだ」

ユングは外向的、内向的の区分に感覚、思考、感情、直感の四つのタイプを加えてさらに発展させました。

感覚タイプは五感で感じる体験を大切にします。色やにおい、形や味に敏感で、その場ですぐに反応します。料理が上手な人も多いでしょう。建築業や医師、写真家など、身体や五感を使う職業は何でも向いています。ジェームズ・ボンドはおそらく感覚タイプでしょう。官能的で、スポーツカーを乗り回し、身体の動きは敏捷で、美女が大好きです。

思考タイプはその反対です。状況をよく考えて問題を突き止め、解決させようとします。感情ではなく理屈に従って決断します。論理的で客観的で、几帳面です。行政官やエンジニア、修理工、エグゼクティブなどに向いています。弁護士ペリー・メイスン〔小説家E・S・ガードナーが創作した法廷弁護士〕、『ジェシカおばさんの事件簿』のジェシカ・フレッチャー、『冒険野郎マクガイバー』のマクガイバーや『危険な関係』のメルトゥイユ侯爵夫人などが思考タイプです。

感情タイプは他者に共感する力があります。やさしくて思いやりがあり、すぐに気持ちを表現します。教師やソーシャルワーカー、看護師などはしばしば感情タイプです。映画や戯曲に登場する例では『危険な関係』のトゥールベル法院長夫人や『カジュアリティーズ』（一九八九年）のエリクソン、『ワーキング・ガール』のテス・マクギルなどです。

直感タイプは未来に興味を抱き、新しいビジョンや計画やアイデアを夢見ます。勘が鋭く、未来を予感したり、予測したりするのが得意です。起業家や発明家、完全な形でアイデアが下りてくるような芸術家がこのタイプに当たります。先を見越して大胆に動く銀行強盗やギャンブラーも直感タイプかもしれません。不可視の力を見抜く『スター・ウォーズ』のオビ＝ワン・ケノービ、恋愛にかけては目ざとい『チアーズ』のサム、策略に長ける『ウォール街』（一九八七年）のゴードン・ゲッコーらも直感が強そうです。

一人につき一つのタイプだけが当てはまるわけではありません。たいていは二つのタイプが優勢で、残りの二つが副次的です（「影の機能」とも呼ばれます）。人々もキャラクターも、五感（ダイレクトに体験する）か直感を通して身の周りの情報を察知しています。そして、思考か感情を通して情報を処理します。「チャーリーは思考タイプで直感的だ」とロン・バスは言っています。「過去と未来を意識して生きるタイプだろうね。ひと山あてて儲けてやるぜ、という顔をしているので刹那的で享楽的に見えるが、実は過去の暗い影に駆り立てられている。過去の負債をどうにかしたくて博打をする。だからめちゃくちゃになるんだ。現在をきちんと見ているとは思えない」

見かけと行動が一致しないキャラクターを作り、ダイナミックな人間関係を描く時に心理のカテゴリーが役立ちます。

人は自分と正反対の相手と最も激しく対立します。感覚タイプで証拠からいろいろなものを感じ取って動く刑事は、直感がおもむくままに動く相棒に手を焼くでしょう。思考タイプは、感情タイプが事実よりも気持ちばかり重視しているようで、好きになれないかもしれません。

苦手意識や嫌悪感の代わりに憧れを抱く場合もあります。勘が鋭い師を崇めたり、論理的な思考が得意な人に頼ったり、情熱的な指導者に心酔したりするのは、自分の苦手な面をうまく表現する人を偶像化しているのかもしれません。感覚的な面が未発達の女性は、色男タイプの相手や情熱的な恋愛に繊細に反応する場合があります。

ストーリーによっては他のタイプ分類がより適応するかもしれません。キャロル・ピアソンの著書『英雄の旅――ヒーローズ・ジャーニー12のアーキタイプを知り、人生と世界を変える』は孤児、幼子、探求者、援助者、戦士、魔術師といったアーキタイプを紹介しています。マーク・ガーゾンは著書『A Choice of Heroes（未）』で男性のタイプを兵士、開拓者、養育者に分類しています。ジーン・シノダ・ボーレンの著書『女はみんな女神』と『Gods in Every Man（未）』では神と女神のイメージを人間の性質に当てはめています。どの書籍もキャラクターを描き分け、豊かに広げるための参考になります。

エクササイズ

創作には内面の探求がつきものです。本書に登場するクリエイターたちは、自作のどの登場人物もどこか自分と似た面を持っていると語っています。あなた自身は感覚、思考、感情、直感のどのタイプに当てはまりますか？　そのタイプと正反対の反応を想像してみましょう。あなたが感覚タイプなら、直感タイプを想像してみてください。思考タイプなら、感情タイプだと想像してください。あなたの性格はどう変わるでしょうか？　知り合いにも当てはめてみましょう。彼らのキャラクタータイプは？　あなたとの違いは？

「アブノーマルな行動」を使ったキャラクター設定

「人のふり見てわがふり直せ」と言われるように、誰にでもおかしなところがあるものです。心理学においては、何が正常で何が異常かの境界線は明確にしづらいとされています。

アブノーマルな心理のキャラクターを作品で描くなら、統合失調症や双極性障害、被害妄想などの綿密なリサーチが必要です。

バリー・モローはレイモンド・バビットのキャラクターを作るために自閉症やサヴァン症候群、学習障害などの特徴を調べました。彼はサヴァン症候群に関心をもった経緯をこう語っています。「僕は毎年、支援施設でボランティアをしていた。ある日の昼休み、背後から肩をトントンと叩かれて、振り向いたら、鼻先がぶつかりそうなほど近くで僕の顔を覗き込む男がいた――レインマンだよ。彼の本当の名前はキム。首をかしげ、ちょっと怪訝な表情で僕にこう言った。『バリー・モローさん、考えて』。僕は彼から離れ、自分も首をかしげて意味を考えた。彼はなんだか、禅の導師みたいに謎めいている。ありがたいことに、彼の父親が来てくれて、意味がわかった。キムは僕に会えたのが嬉しくて、言葉が変になったらしい。彼は『バリー・モローさん、僕はあなたのことを考えているよ』と言いたかったんだ。すると、彼はそっぽを向いて唸り声をあげ、手をパタパタさせて、いろいろな名前を言い始めた。

何だろうと思っていると、一つか二つ、聞き覚えのある名前が出た。僕が書いたテレビ映画の『Bill』と『Bill on His Own』のクレジットに出てくる名前だ――しかも、正しい順番で。次に、彼は数字を言い始めたが、とても速くて意味がわからない。またキムのお父さんが助け舟を出してくれて、キムがゆっくり数字を言い始めると、それらは僕がここ八年か十年ぐらいの間に使ったいくつもの電話番号だとわかった。お父さんいわく、キムは電話帳の暗記が趣味で、何千件もの電話番号が言えるそうだ。いつもはイエローページしか暗記しないが、僕は特別だ、と。キムは読んだものをみな記憶する。質問をすればするほど、返ってくる答えに驚かされた。まったく、キムは驚異的なんだ。家に帰ってからも彼のことで頭がいっぱい。なんと素晴らしい人に会えたことかと感謝した」

キムがレイモンドのモデルになったように、俳優ダスティン・ホフマンもレイモンドを演じるためにモデルとなる人物を見つけました。

「ダスティンは典型的な自閉症の特徴を調べ上げていた。そして、役づくりのモデルが一人いて、もっぱら、このモデルになった人の兄弟と時間を過ごした。兄弟は自閉症ではないが、上手に真似ができるので、まず、それを見てリズムに慣れた。自閉症的な特徴の中でも、なんとなく愛嬌を感じさせるものを見つけたかった。それで、ケガをするたびにノートに記録する場面を入れたよ――そういった日誌のようなものは誰だって書くから共感できるよね。儀式のようなクセも描写に入れた。中にはひどく悪趣味なものもあるが、愛嬌のあるクセなら作品で伝えることができる。二時間の映画で見せるために、チャーミングで面白いものを選んだ」

アブノーマルな行動の理解はノーマルなキャラクターの創作にも役立ちます。どんな人にも変わった側面がありますから、ノーマルなキャラクターにそうした特徴を加えると衝突が起き、面白味を出すこともできるでしょう。

オーストラリア映画の『誓い』(一九八一年)や『Phar Lap(未)』(一九八三年)などの脚本家デヴィッド・ウィリアムソンは心理学で修士号を取得しています。彼は臨床的な異常人格モデルをキャラクターに当てはめて考えると言います。その方法でキャラクターを作るというよりは、推敲段階で参考にし、キャラクターを少し逸脱させてドラマ性や面白さを引き出すのです。

臨床心理学では多くの人格や気質が定義されています。彼が作った表を見てみましょう。

外向的

躁病／パラノイド（偏執病）／サイコパスまたはソシオパス

ノーマルな行動

抑鬱／統合失調症／不安神経症

内向的

アブノーマルな人格も、一人に一つだけが当てはまるとは限りません。双極性障害は躁と鬱の二つの状態の間で揺れ動きますし、パラノイドと統合失調症も同様です。キャラクターの大筋を決めて一貫性を持たせるのに人格のタイプを選ぶだけでなく、キャラクターどうしの関係作りにも活かせます。

躁タイプは万能感を感じます。楽観的で、陶酔感を味わうことが多いです。興奮しやすく、社交的で感情的。軽薄なところもあり、しゃべり過ぎる場合もあるでしょう。飽きっぽく、集中力は持続しません。

欲しいものはなりふり構わず、人を蹴落としてでも手に入れようとする傾向もあります。

出世欲に駆られて仕事中毒になるキャラクターはこの傾向があるかもしれません。『ウォール街』で富を求める投資家ゴードン・ゲッコーや、『モスキート・コースト』（一九八六年）で大胆に僻地での新生活を始める発明家アリーや、『スーパーマン』シリーズの悪者のように全能感を抱く人物が一例です。

チャーリー・バビットも、やや躁的な面を見せています。「チャーリーは熱狂しやすい性格だ。自己防衛本能も自制心も非常に強いから、深く落ち込まない。うじうじするところは想像できないよ」とロン・バスは言っています。

抑鬱タイプはその逆で、感情を内に溜め込みます。暗いムードや無価値感、劣等感に苛まれやすい人物です。心気症的で、むやみに自分を責めることもあります。『ハムレット』のハムレットや映画『リーサル・ウェポン』シリーズのマーティン・リッグス、舞台劇『Strange Snow（未）』のデイビッド〔映画『ジャックナイフ』（一九八九年）でも描かれる男性〕がこのタイプです。

統合失調的なキャラクターはヒット映画に多く登場します。空想好きな女性が精神病棟で過ごす姿を描いた『I Never Promised You a Rose Garden』や『リサの瞳のなかに』、精神を病む弟を介護する兄を描いたテレビ映画『Promise（未）』（一九八六年）などが一例です。統合失調的なタイプはシャイで自意識が強く、繊細です。衝突が多い対人関係を避け、自分のエゴを守ろうとします。引きこもって不機嫌になるなど、全般的にコミュニケーションが困難です。『アラバマ物語』（一九六二年）に登場する通称ブー、アーサー・ラドリーは統合失調症のボーダーラインかもしれません。また、『偶然の旅行者』（一九八八年）の主人公メイコンは息子の死を悲しむあまり、統合失調症的な症状に苦しみます。

パラノイドは人に捕まることを恐れてアグレッシブになります。リーダーになって権力を手に入れ、優越感を得ようとする場合が多いです。頑固で持論にこだわり、自己防衛本能が強く、競争好きな側面や傲慢さ、自慢好きな面を見せる時もあります。理不尽な恨みを抱え、批判されそうになると敏感に反応します。被害妄想もあるでしょう。チャールズ・ブロンソンやシルヴェスター・スタローンの映画でよく見られるタイプです。

不安神経症タイプは心配や恐怖を常に感じています。環境破壊や犯罪など世間全般の危機でさえ、自分の安全を脅かすものとして捉えてしまうのです。危険はいたるところにあると感じており、不安を遠ざけることを考えて過ごします。ウディ・アレンの映画『アニー・ホール』や『カメレオンマン』（一九八三年）、『ハンナとその姉妹』（一九八六年）などにそうしたキャラクターが登場しています。

強迫神経症的なキャラクターも神経過敏です。『危険な情事』で既婚男性ダンに執着するアレックスや、テレビの法廷番組を毎日見ないと気が済まないレイモンド・バビットは強迫的な行動パターンを見せています。

ソシオパス（社会不適合）やサイコパス（精神のアンバランス）も映画に多く登場し、実生活でも事件の報道を目にします。ストーリーの中では悪者として登場することが多いでしょう。他人に同情せず、倫理観が欠けていて、自らの欲望や保身のためなら恐れることなく犯行に及ぶ「常習犯」です。主人公を妨害する敵対者として、さまざまな形で登場します。

サイコパスやソシオパスの性質は変わりません。こうしたキャラクターが改心して結末を迎えることはないでしょう。

俳優エドワード・G・ロビンソンの『犯罪王リコ』（一九三一年）や俳優ジャームズ・キャグニーの『白熱』（一九四九年）、また『スカーフェイス』（一九八三年）といったギャング映画のほとんどはソシオパスが中心です。『ゴッドファーザー』（一九七二年）や『ヘルター・スケルター』（一九七六年）、『俺たちに明日はない』（一九六七年）にもそうしたキャラクターが登場します。

ドラマと葛藤はキャラクターどうしの人間関係から生まれます。被害妄想をしがちなパラノイドは自分を責める相手を求め、アグレッシブな躁タイプの人物を脅威とみなします。躁タイプは抑鬱タイプの弱々しさに苛立ちます。サイコパスは不安神経症の不安が理解できません。

異常心理を持つキャラクターを作るなら、さらに詳しいリサーチをしてください。医学の出版物や心理学の本を読んだり、心理学者と話したり、人格障害をもつ人々と会ったり観察したりするのも有益です。

ここで述べたことを性格的な傾向と捉え、キャラクターに追加すると葛藤、対立と複雑さが生まれます。欠点のない、好かれる性質ばかりをもつキャラクターがまとも過ぎると感じたら、どこかを壊すことで面白くなります。先に挙げたタイプを参考にして、普通よりも少し突出した傾向を与えて肉づけしてください。

バリー・モローの言葉を引きます。「心理学の授業を取ってもよし、実社会での人間観察で学ぶもよし。いずれにしても、創作に活かせるぐらい、じゅうぶんに深く掘り下げるべきだ。変わった人々の間でもまれる経験も必要だよ」

小説家デニス・リンズはこう言っています。「もともと心理学や社会学に興味がある人が小説を書くんだ。色に興味がある人が画家になるのと同じだね。作家になるには人の心理に興味を持っていなくてはならない」

脚本家のジェームズ・ディアデンはさらにこう述べています。「キャラクター作りのためにわざわざ心理学を学びに出かける人はいない。多少の心得はあるし、勉強するとしたら心理学全般の知識を学ぶだろう。ある特定のキャラクターを作るためではなくてね。心理学的なセンスがあれば、キャラクターは作れる。誰でも基本的な知識はあるよ。専門用語は知らなくても、みんな、虐待を受けた子どもは大人になってから自分の子を虐待する傾向が高いと知っている。天才でなくても経験でわかる。だから、いつも結局、自分を知ることに戻るのさ。自分を知れば他人のことも理解できる。自分のことがわかるまで他人のことはわからない」

▼ケーススタディ――『アメリカのありふれた朝』

『アメリカのありふれた朝』は兄を亡くして罪悪感に苦しむ少年の心理を描いた小説で、アイデンティティと変容、変化の物語です。アルヴィン・サージェントの脚色で『普通の人々』として映画化され、複数の部門でアカデミー賞を獲得しました。本書では小説の方を取り上げますが、映画の心理描写もご覧になってみてください。

作者ジュディス・ゲストは自己の内面を見つめ、自らの体験を理解して執筆に活かしています。

「大学時代に受けた心理学の授業は一つだけ。でも、心理学の本や新聞記事は山ほど読みました。ユングの著作は未読のものも多いのですが、ユング派の理論には最も親しみを感じました。

私は無意識の領域を掘り下げて、心理を理解しようとします。自分が何をしているかは意識できていなくても、見るものすべてからスポンジのように情報を吸収します。興味がある分野ですから、耳や目や手足の感覚はいつも開いていています」

ゲストはキャラクターの行動や相互の関係だけでなく、彼らが変容できるかどうかも考えました。キャラクターの設定は、ほぼ、彼女の直感的な理解を元になされています。キャラクターが表に見せる行動よりも、どう考え、世界をどう眺め、内面のリアリティを外の世界とどう結びつけているか。以下にご紹介する言葉の中で、特に、キャラクターの内面の動きについての語りに注目してください。

「ほとんどのキャラクター像は直感的につかんで書きました。精神科医バージャーはコンラッド［自殺願望のある主人公の少年］にぴったりの人物がいい。じゃあ、どんな人だろう、と考えたところ、この少年のように頭がよくてユーモアがある人が思い浮かびました。なぜなら、コンラッドはそうやって世界と戦っているからです。彼と同じようにユーモアを武器にして、患者よりも建設的に、人生に前向きな態度を持つ人がいい。現実を拒否するためでもなく、気持ちを抑えるためでもなくユーモアを使える人です。

コンラッドの母親ベスのような人を私はたくさん知っています。心の傷を否定することしかできず、ますます現実から逃げるキャラクターです。彼女は自分の気持ちを恐れ、向き合おうとしません。きっと、自分がめちゃくちゃになってしまうと思っているのでしょうね。何もないそぶりをして正気を保つ人は世間に山ほどいますが、彼女も同類なのです」

執筆の間にベスの内面への理解が深まり、見方が変わると、ベスのキャラクター性が観察できるようになりました。「最初はベスが大嫌いでした。コンラッドがこうなったのもベスのせいだと思っていたのです。でも、だんだん状況の複雑さに気づき、彼女に対する嫌悪感は薄れていきました。彼女は彼女なりに生きている。コンラッドもまた彼なりに生き、変わろうとします。ベスは何も学びません。状況を乗り越える力がないのです」

小説家はキャラクターの内面に入って心理を探り、読者に心情や思考を伝えます。ゲストはコンラッドの父親カルヴィンとコンラッドについてはそうしたものの、ベスの内面にはあえて入ろうとしませんでした。

「コンラッドとカルヴィンの心情は理解に難くないと思ったので、彼らの内面に入って書きました。でも、ベスには意図的に、それをしませんでした。難し過ぎると思ったのです。実のところ、私は彼女の人物像が理解できていませんでした。似たような人たちを知っているし、理由があるのもわかりましたが、彼女の内面に入って描くのは至難の業でした」

　ゲストはキャラクターどうしの関係を考え、誰か一人が変わることで相互の変容が起きないかを考えました。それはまた、キャラクターの内面の変化も促します。筆者は彼女に、ベスは変われると思ったか、と尋ねました。

「もちろんです。あとは時間の問題でしょうね。家族の中で、二人は心の準備ができたが、一人はまだできていない。頑張って心の準備をするか、去るかの二者択一で、彼女は去ることを選択します。

　カルヴィンが変われたのは自己防衛本能が弱いからです。また、息子コンラッドの自殺未遂にショックを受けて、二度とくり返させないよう全力を尽くす決意をしました。胸の内を打ち明ける相手がいないのが原因だと気づき、毎日、部屋の外から声をかけてやるようになったのです。

　コンラッドの性格はどちらかというと母親に似ていますね。だからこそ、距離があるのでしょう。二人とも生きることを恐れ、ぶつかろうとしません。また、かなりの完璧主義者ですから、コンラッドの兄の溺死は二人にとって耐え難いこと。完璧主義であるがゆえに罪悪感が深く、コンラッドは自分に非はないのに苦しんでいます。母親が知らんぷりをするので、彼の苦悩は深まるばかり。でも、母親はコンラッドを憎んだり責めたりしているわけではありません。彼女も悲しみと向き合えず、ただ逃げているだけです。

コンラッドは自分を責めるのを止めた時、母親に対する感情を抑え切れなくなります。

コンラッドは冗談めかして物事をやり過ごす癖があります。体育会系のスティルマンにからまれてもジョークを言い返すだけ。これでは解決になりません。最後に大げんかをする時に、コンラッドは心の健康を取り戻せたのだと思います。スティルマンを相手にね。とてもストレートな反応です」

『アメリカのありふれた朝』はコンラッドとカルヴィン父子が心の健康を得、変容し、人生の意味へと向かう物語です。「意味なんてない部分も人生にはあります」とジュディス・ゲストは語ります。「がむしゃらに意味を見つけようとすることもできますが。コンラッドはバージャーとの最後のシーンでこう言います。『先生にわかるもんか。誰かの落度のはずなんだ。でなかったら、問題の中心はぼやけてしまうじゃないか？』。それに対してバージャーは、問題の中心などなく、ただ事故が起きたというだけだと話します。人は確かに意味を探そうとするけれど、そこにひどい悲劇があれば、意味を探すことから抜け出せなくなってしまう、と説得するのです。

カルヴィンもコンラッドも、はっきりとした自己を打ち立てました。物語の終わりでは二人とも心が広く、深く、相手とのつながりを持ち、感情も豊かになります。思いやりが生まれ、また、もっと正直になろうとしているように見えます。彼らは真の自己であろうとし、批判をやめました。すべてを乗り越え、何か素晴らしいものを手に入れたのです！」

クエスチョン

キャラクターの内面の動きを知れば、パワフルで伝わりやすい人物像が描けます。次の質問に答えてください。

- キャラクターの行動に影響を及ぼす過去の出来事やトラウマは？　よい方に変われるような、ポジティブな体験は過去にあったか？
- キャラクターはどのような無意識の力に動かされているか？　それは動機や行動や目標に、どんな影響を与えているか？
- 主役や脇役の性格や気質のタイプは？　彼らの相関関係にはコントラストや葛藤、対立があるか？
- キャラクターはあまりにも善良、平凡、普通ではないか？　少しアブノーマルなところはあるか？　それは他のキャラクターたちとの対立を招くか？

まとめ

人間には体系立てたシステムでは説明できない部分もありますが、行動や態度には心理が司る一定のパターンがあります。人間には共通の基本的欲求がある反面、個人によって異なる反応をします。この両方を理解することが、内外ともに豊かで多面的なキャラクターを作る鍵です。

第5章

キャラクターの人間関係を作る

キャラクターは人間関係の中におり、単独で存在することは稀です。一人芝居（サミュエル・ベケットの戯曲『クラップの最後のテープ』や登場人物が少ないスティーヴン・スピルバーグの一九七一年放映作『激突！』など）は別として、ほとんどのストーリーは人と人とのやりとりを描いています。多くの映画やテレビドラマシリーズでは相関関係が人物単体のクオリティと同じくらい重要です。

小説家レオナルド・ターニーは二十世紀に見られた変化をこう指摘しています。「小説や映画でカップルの物語が重視されるようになり、パートナーを描いた作品も増えました。二人組の刑事や夫婦などの間で化学反応のようなものが起きて新しい自己を見出したり、何かを作り出したりするストーリーです。人でも物でも、二者を一緒にすれば新しいものができます。自分では気づかないかもしれませんが、人はカップルで過ごす時にふるまい方が変わるものです」

大ヒットしたテレビドラマ『チアーズ』や『Kate & Allie（未）』、『こちらブルームーン探偵社』、『モーク&ミンディ』、『刑事スタスキー&ハッチ』、『女刑事キャグニー&レイシー』、『探偵レミントン・スティール』などでは二人のスターが共演していました。映画では『アダム氏とマダム』（一九四九年）や『アフリカの女王』（一九五一年）、『明日に向って撃て！』（一九六九年）、『48時間』、『リーサル・ウェポン』、『レインマン』などが二者の関係を濃密に描いています。

人間関係のストーリーには人物どうしの相性が強く出ます。それを視野に入れて、個々のキャラクターを設定しましょう。最も効果的な組み合わせは次の通りです。

1. 互いに共通の何かがあり、ずっと一緒にいる。キャラクターどうしが引き寄せ合う
2. 互いを引き離すような葛藤と対立があり、ドラマが生まれる。コメディの要素が生まれる時もある

3. 互いの性質にコントラストがある。二人の対照的な性質が葛藤と対立を生み、キャラクター性を強く打ち出す
4. 互いに相手を変容させる可能性を持っている。さらに良い方向へ、あるいは悪い方向へ

引き寄せと、葛藤と対立とのバランスをとる

葛藤と対立はフィクションに不可欠です。それによって緊迫感や面白さやドラマ性が生まれるからです。しかし、多くのストーリーはラブストーリーでもあります――つまり、引き寄せ合う人々を描きます。葛藤、対立と引き寄せ合いのバランスは、映画や小説では比較的簡単に見出せます。最初の対立が結末で解決し、多くはハッピーエンドで終わります。

一方、テレビドラマには独特の難しさがあります。シリーズが五年、十年と続く場合は解決させないままで継続させなくてはなりません。引き寄せ合って葛藤と対立が消えてしまえば面白味がなくなります。逆に、引き寄せ合いが乏しく、葛藤と対立ばかりなら、好感度が下がって視聴者離れを招きます。人物たちが惹かれ合うドラマであれば、ずっと引き離しておくのも不自然でしょう。このバランスをどうするかはプロデューサーや脚本家にとって難しい課題です。

『チアーズ』のクリエイターであるジェームズ・バロウズは番組の初期の頃にこう考えました。「このドラマは発展する。外部の意見では、ダイアンとサムの関係は発展しなくていいと言われていたけれどね。でも、からかい合うレベルで止めておくと、サムの人物像と合わないんだ。彼は女好きだから絶対にダイ

アンを口説くはずだし、そうでなきゃ色男として失格だろう。二人がくっつくのはキャラクターにとってプラスだったし、新しい展開もできた。くっつけて、また別れさせるというのもいいアイデアだよ」

『Who's the Boss?（未）』や『こちらブルームーン探偵社』、『チアーズ』といったテレビドラマは恋心や友情をリアルに感じさせました。人物たちはいろいろな面でピュアな好意を示しています。『Who's the Boss?』のクリエイター、マーティン・コーハンとブレイク・ハンターは登場人物アンジェラとトニーの共通点をこう語っています。

「二人とも保守的なんだ。すごく普通で――家族と家が大事。出かけるよりも、家でポップコーンを食べながらテレビを見る方が好き。また、お互いに助け合っている」

『こちらブルームーン探偵社』のマディとデヴィッドの会話や想いをみれば、二人がストレートに気持ちを伝えられていないことが窺えます。「素晴らしき哉、人生」と題されたエピソード（脚本、カール・ソーターとデブラ・フランク）では、幽霊になったマディの前にアルバートと名乗る守護天使が現れ、マディが二年前のクリスマスに事務所を閉めていたらどうなっていたかを見せます。デヴィッドはモデルのシェリルと結婚間近ですが、マディのことが忘れられません。彼には幽霊となったマディの声が聞こえず、姿も見えません。マディは彼の言葉に反応します。

デヴィッド　そういえば……マディ・ヘイズ……久しぶりに聞く名前だな。よくピンタされたっけ……彼女はなんというか……上品で強かった。すごい人だったよ。

マディ　本当？

デヴィッド　やさしくて、あったかい感じがしたんだけど。素敵な女性だったんだろうな。

マディ　あら、デヴィッド、だった、ってどういう意味？
デヴィッド　俺と相性がよかったかも。
マディ　相性はよかったでしょ……忘れたの？　ＤＪにピアニスト、あのバカな私の似顔絵。あなたが私を追ってブエノスアイレスに……私はあなたを追ってニューヨークに。忘れたの？　ガレージでキスもしたじゃない。
アルバート　してないよ、マディ。
マディ　え？
アルバート　今きみが言ったことは全部、実現していない。
マディ　え？
アルバート　君が事務所を閉めたからさ。失われた二年間だ。
デヴィッド　俺はバカだな。知らない女性とシェリルとを比べるなんて。

この二人が結婚して家庭をもつという古風な展開もあり得ますが、連続ドラマシリーズでは何らかの障害を設けて二人を引き離し続けます。よくあるのは職業上の立場の問題です。二人が仕事のパートナー（『こちらブルームーン探偵社』）や雇用主と従業員（『チアーズ』『Who's the Boss?』）といった設定にすると、障害としてうまく機能します。少なくともどちらか一人が「仕事に私情を入れてはいけない」と気づきます。
ここで難しいのは、二人がある程度は親しくできて、かつ、少なくともどちらか一人が踏みとどまろうとする程度にハードルを設けることです。『Who's the Boss?』では同じ価値観の男女が惹かれ合いますが、一つ屋根の下に子どもと同居している限り、二人はベッドを共にできません。『チアーズ』ではダイアン

（後にレベッカ）が、女好きのサムには屈しないと固く決心します。

これらのシリーズでは二人の間の障害が笑いの種にもなりました。やり過ぎると逆効果ですが、ひょいと障害を飛び越える場面があると、よい刺激になります。たまにはそうしないと、接近しない二人が不自然に見えてしまいます。

『こちらブルームーン探偵社』と『チアーズ』の二人は徐々に境界線を越えます。デヴィッドとマディ、ダイアンとサムは交際を始めます。

『Who's the Boss?』では、一九八五年に放映二年目で、二人が次のようなシーンで接近し、お互いの関係について語っています。

アンジェラ　何もしない。私たち大人だし、それに……。
トニー　それに、こうしてうまくやってきた。
アンジェラ　そうね。こうじゃない方がよかったかもしれないけど。
トニー　こうじゃない方がいいかもね、アンジェラ。
アンジェラ　ええ、そうね。
トニー　でも、今までとは変わってしまうだろ。今の状態を失いたくない。
アンジェラ　同感。

キャラクターの性格も、二人を引き離す障害として働きます。節度を重んじるアンジェラはトニーとの関係を積極的には進めないでしょう。知的でスノッブなダイアンはサムのような軽い男を相手にしたくないはずです。恋愛が苦手なマディはデヴィッドの誘いになかなか乗れません。

二人の間にコントラストを作る

お互いにコントラストをつけると二人の性格がはっきりと打ち出せます。また、正反対の者どうしは強く引き寄せ合いますから、ダイナミックな関係が描けます。『リーサル・ウェポン』や『48時間』、『おかしな二人』（一九六八年）、『影なき男』（一九八八年）、『誰かに見られてる』（一九八七年）には対照的な性格の恋人やパートナーや友人が登場します。

二人の違いは行動や態度に表れます。ジョージ・ギャロ脚本の映画『ミッドナイト・ラン』（一九八八年）の賞金稼ぎジャックと会計士ジョナサンの二人は態度も行動も真逆。仕事の選び方や妻との関係や道徳観だけでなく、食生活についての意見も大違いです。

ジョナサン　動脈硬化が気にならないのか？　よかったら、バランスのいい献立を立ててやるよ。どうしてそんなものを食うんだ？

ジャック　どうしてって、うまいからさ！

ジョナサン　体に悪い。

ジャック　わかってる。

ジョナサン　悪いと知ってて、なぜやるんだ。

ジャック　考えないことにしてる。
ジョナサン　否定しながら生きるのか。
ジャック　そうだ。
ジョナサン　自覚はあるのに、悪いことを続けるのか。愚かだと思わないか、ジャック。
ジャック　ジミー・セラーノから千五百万ドルを盗んだのも愚かだぜ……。
ジョナサン　捕まるとは思ってなかった。
ジャック　ほら、お前も否定しながら生きてる。
ジョナサン　わかってる。

人種や経済面、問題への対処が対照的な組み合わせもあります。マーティー・コーハンとブレイク・ハンターによると「『Who's the Boss?』では多くを反転させているよ。ブルーカラーとホワイトカラー。働く女性と主夫。ニューヨークとコネチカット。ホワイト・アングロサクソン・プロテスタント（WASP）とイタリア系。主人公のトニーは正直でまっすぐな性格で、たまにぶっきらぼうに見える時もある。気難しくて怒りっぽい。アンジェラよりも先にキレて、なだめられたりする。アンジェラはわりと事なかれ主義で、感情を抑えがちだ。率直なトニーに比べて、内にこもりがちな面がある。職場での彼女はそれでいいかもしれないが、トニーは違う。二人とも家庭を大事にするが、アンジェラはちょっと不器用で、料理などは一苦労だ。トニーはきちんとしていて、子どもにも厳しい。アンジェラは彼より保守的で神経質なところがある割に、子どもには寛容。アンジェラは自分自身に対して上昇志向があるが、トニーは娘に期待している。野心や目標、子どもたちへの態度も対照的だ」

心理的なコントラストもつけられます。『こちらブルームーン探偵社』のマディとデヴィッドは外に表れる性格だけでなく、心に抱える不安の性質も対照的です。

カール・ソーターはこう述べています。「彼女は冷たく、彼は熱い。マディは感情から自分を切り離してしまうようなところがあるが、デヴィッドは感情をあらわにする。彼の意識は主に、現在に向けられているんだ。二人が最も恐れているのは誰かを好きになることと――それがばれてしまうこと。だが、二人はそれぞれ、対処の仕方が違う。マディは態度を取り繕ってクールに構え、デヴィッドは早口でしゃべって自分を守る。出会って強く惹かれ合う二人が駆け引きを始めるわけさ。

意外なコントラストも入れたよ。二人が神について議論をする場面だ。もちろん、マディは真面目に神を信じ、デヴィッドはすごく不謹慎なことを言うはずだ。だが、クリエイターのグレン・キャロンが『いや、それを真逆にしてキャラクターに厚みを出そう』と言ったので、デヴィッドの方を信心深くし、マディに神の存在を疑問視させてみた。意外性が生まれて、とても面白くなったよ。

顧客への対応の仕方も対照的だ。デブラ・フランクと僕が書いたエピソードで、自分は妖精だと言って助けを求める女性が登場する。デヴィッドは真剣に話を聞くが、マディはおかしな女性だと思って取り合わない。マディは彼に『詩なんて全然知らないくせに。あなたは鈍感な上に字も読めないのね』と言い、彼はマディに『詩だの展覧会だのって恰好つけるなよ。君はティンカー・ベルに拍手しないタイプの悲しい人さ』と言い返す」

ここでは二人の深層心理が対比されています。内に秘めたもろさが表れ、昔の心の傷を想像させます。

短いコマーシャルでもコントラストを活かした例はたくさんあります。広告クリエイターのハル・ライニーによるバートルズ&ジェームスのワインクーラーの広告には、二人の素朴な男性経営者が登場します。

フランクは早口でしゃべり、エドは寡黙。でも、エドはフランクよりも知的で（たとえば、「platitude（陳腐な）」という難しい言葉を使ってフランクをぽかんとさせる）、理系のセンスも感じさせます。あるCMのバージョンでは「彼はワインクーラーに合う食べ物を調べる科学的な試験をしました。今のところ、合わないものは二つだけだとエドは言っています。一つはカブに似た、コールラビという野菜。もう一つはトウモロコシのキャンディでした」[*1]。二人は容姿も対照的です。エドは背が高くて痩せており、フランクは小太り。ズボンをサスペンダーで吊り、眼鏡をかけています。

これらのCMは広告業界のアカデミー賞に相当するクリオ賞に輝きました。バートルズ&ジェームスはワインクーラーで業界トップの売り上げとなり、フランクとエドは全米で最も有名なCMキャラクターになりました。

葛藤と対立の見つけ方

葛藤と対立はキャラクターのコントラストからも生まれます。目指す方向性や動機や背景、求めるものやゴール、態度や価値観に相違があれば、ぶつかり合いが起こります。

心理面にも注目してみましょう。キャラクターが最も不愉快で憤りを感じるのは、実は自分自身が抑圧している面です（無意識に隠れている「シャドウ」でもあるでしょう）。深層心理に隠れているものを忌み嫌いつつ、それをもつ相手に引き寄せられます。

思っていることをはっきり言わないせいで誤解が生まれ、衝突する時もあります。『チアーズ』のサムとダイアンの次の場面を見てみましょう。二人は初めてキスをする時でさえ、葛藤と対立を経ています。

サム　ダイアンはどうしたい？
ダイアン　あなたがしたいことが知りたい。
サム　俺がしたいのは……君がしたいことを知ることだ。
ダイアン　ほら、私たち、ずっとこうなのよ。お互いにわかり切っているのに、言えない。
サム　そうだな。じゃあ、わかり切っていることを言おうよ。
ダイアン　オーケー、じゃあ、あなたから。
サム　どうして俺からなんだ。
ダイアン　また始まった。
サム　ダイアン、一つ聞きたい……なぜデレクと付き合わないんだ。
ダイアン　あなたの方が好きだからよ。
サム　本当？　俺もデレクより君の方が好きだ。
ダイアン　サム……。
サム　さっき感じたことに比べたら、これまで弟に感じたジェラシーなど何でもない。
ダイアン　まあ、サム。私たち、何か素晴らしいことが起きそうね。
サム　ああ、ああ。そうとも。じゃあ、俺たち……キスする？

さらに二人はあと七ページほど遠回しに言い合い続け、ようやくキスをします。

キャラクターはお互いをどう変えるか

「キャラクターは成長して変わるか？」とエグゼクティブやプロデューサーはよく尋ねます。パワフルなストーリーではキャラクターが他の登場人物に強いインパクトを与えています。

カール・ソーターはこう言います。「冷たいマディはデヴィッドに影響を受け、素直になっていく。彼は彼女にやさしさを、彼女は彼に厳しさを教えるんだ。マディは彼に深みと落ち着きを、彼はマディにユーモアのセンスをもたらす」

『Who's the Boss?』のアンジェラはトニーの影響で気さくになり、トニーは彼女のおかげで自信を持ちます。クリエイターたちによると「トニーは今年の初めに大学に入った。アンジェラとの出会いがなければあり得なかったことだよ。アンジェラは少し肩の力が抜けてきたね。はめを外して楽しむことを覚えて、人柄に温かさが出てきた」

テレビドラマのキャラクターが変化を遂げ終えるとドラマを生む力関係も終わってしまいますから、変化は最小限にとどめます。映画や小説では結末で葛藤と対立を解決させ、キャラクターが大きく変化した姿を見せます。

『レインマン』の二人は物語の中で互いに変化をもたらしています。しかし、レイモンドはもともと感情表現に乏しいキャラクターですから、現実的にどれほどの変化をさせられるかが課題でした。この映画は本章で説いた引き寄せ、葛藤と対立、コントラスト、変化をすべて使っています。バリー・モローによると「二人が兄弟なら一緒にいる理由になる。そして、レイモンドの遺産相続が二人をさらに引き寄せる。

それ以外は全部、正反対。年齢や身長、知的レベル、歩く速さや歩き方やしゃべり方など、あらゆる面で真逆にしたんだ。接近と離反の動きを作った結果、コントラストが生まれた。変化が起きた理由は、チャーリーが疲れ切ったから。（中略）せいぜい四日間が限界なのに、彼は六日間も車で旅をした。最後の二日間で彼は人間性を取り戻したんだ。

この道筋の中で面白いことが起きているよ。レイモンドは独特のやり方でチャーリーの醜い面を削ぎ落していくんだ――ちょっとした言葉づかいにも、それが表れている。しょっちゅう罵り言葉を吐いていたチャーリーが、レイモンドの世話をしたり、突然の事態に驚かされたりしながら洗練されていく。角が取れて、人間的に丸くなっていくんだ」

エクササイズ

あなたと友人や恋人、配偶者、親戚との間には、どんな引き寄せ、葛藤と対立、コントラスト、変化がありますか？　ストーリーに使えそうなほど強い関係性がある相手はいますか？

四つの要素を使ってキャラクターを創作する

引き寄せ、葛藤と対立、コントラスト、変化の四つの要素を使えば恋愛や友情、パートナーシップなど、どんな関係も作れます。

テレビドラマ『女刑事キャグニー&レイシー』で使われたキャラクターのコントラストを見てみましょう。

クリス・キャグニー	**メアリー・ベス・レイシー**
独身、子どもなし	既婚、子どもあり
友だちづきあいが中心	家族が中心
キャリア志向	家族とプライベート志向

これらのコントラストは物事に対する考え方の違いからも生まれています。

法と秩序を重んじる	個人の権利と人間性を重んじる
妊娠中絶に賛成だが自分は選ばない	妊娠中絶に賛成で手術経験あり、女性の権利を守る意識が高まる
検閲には反対	ポルノに否定的
ポルノの検閲も不要	女性蔑視のイメージの氾濫を危惧
ストライキには反対	ストがあれば自らも一員として団結

二人の気質や感情も対照的です。

人が苦手で一人暮らしを選ぶ ― 夫と温かい関係で暮らす
すぐにキレる ― 我慢強い
働き過ぎ、飲み過ぎ ― バランスがとれた生活

　このような対比から、いろいろなストーリーが思い浮かびます。このリストを眺めるだけでも、産婦人科のクリニックの前で賛否両論の争いをしたり、ポルノや児童虐待などの事件をめぐって意見を衝突させる姿が想像できるでしょう。

　人間関係を作る時は四つの要素をブレインストーミングしてください。小説や舞台劇、映画やテレビドラマなど何にでも使えます。毎週新しいストーリーが必要なテレビドラマでは特に、人間関係についての材料がたくさん必要です。主要なキャラクターと関わる脇役にもいろいろなアイデアを出しておくと役立ちます。

　筆者はテレビドラマ『冒険野郎マクガイバー』の脚本家チームとプロデューサーに講師を依頼され、この手法を使ってセミナーを開きました。昔のエピソードに登場した面白いキャラクターを再登場させるため、設定をふくらませるのが目的です。それができれば主人公のマクガイバーにも新展開が生まれそうでした。マクガイバーは単独でいる場面が多いため、単調になる危険性もあったのです。

　再登場させたい人物はコルトンという賞金稼ぎの男です。彼とマクガイバーとの友情を複数のエピソードで描く計画でしたので、コルトン役の俳優リチャード・ローソンもブレインストーミングに参加しました。

　この章で挙げた要素を使い、次のようなリストができました。

マクガイバー	コルトン
田舎に住んでいる	田舎は苦手。都市部に住んでいる
責任感がある	自由で気まま
ハウスボートで暮らす	バンの車内で暮らす（水の上は嫌い。泳げるが、水上では落ち着けない）
静寂を好む	人間不信から孤独を選ぶ
決めてから行動する	まず行動し、後で決める
間接的、非暴力的にアプローチ	銃を使って直接的にアプローチ
内向的	饒舌で外向的
手段を重視する	結果を重視する
ベジタリアン	ジャンクフード好き
環境保護主義者	資源保護に無頓着
相手の事情をくむ	相手の事情を気にしない

アイデアを出すうちに、コルトンのバックストーリーが必要になりました。そこで、チームのメンバーのリチャードの実体験を部分的にモデルにしました。リチャードは海兵隊の衛生兵としてベトナム戦争に参加したことがあります。心身ともに苦しむ傷病兵たちに頼られたのが非常につらく、戦地から帰還した後は一人で過ごすようになったそうです。それをコルトンの過去として取り入れました。

リストに挙げたアイデアも発展させました。コルトンがマクガイバーのボートを嫌うのは、足元がぐらつく感じがいやだから。責任感が強いマクガイバーを見て、なぜ他人のことに鼻を突っ込むのか理解に苦しむ。特にマクガイバーの飼い犬は、友人の死後に彼が引き取った犬だが、かわいいとも思えない。

マクガイバーは愛犬家というわけではなく、かわいそうだから飼っている、というように、犬について話し合いながら、二人がどう変わっていくかを考え、次の四点にまとめました。

1. マクガイバーは、時には理性よりもハートや直感に従う方がいいと思うようになる
2. コルトンは忍耐力を身につける。すぐに銃を撃たず、よく考えてから行動するようになる
3. マクガイバーはコルトンから恋愛のアドバイスを受ける。中にはよい忠告もある
4. コルトンは人を信じる力を取り戻す。助けが必要な時もあると知り、チームワークを大事にするようになる

コルトンについて考えると、マクガイバーのこともよくわかってきました。対比によって彼の考え方や弱点やバックストーリーが見えてきたのです。あくまでも、このブレインストーミングは叩き台に過ぎませんが、脇役が主人公に新しい息吹を与え、互いの関係を通して番組全体の展開が広がることがわかりました。

人物どうしの関係がパワフルになるほどドラマはうまくいき、何年も継続する人気シリーズになる可能性も高まります。

三角関係を作るコツ

ストーリーの中で三人をからみ合わせた三角関係を描く場合もあるでしょう。うまくできればダイナミックでぞくぞくさせる作品になりますが、創作するのは難しいものです。これまでの内容にプラスして、考えて頂きたい要素をご紹介しましょう。

ここから先は、映画『危険な情事』と『ブロードキャスト・ニュース』を例として分析しながら進めていきます。どちらの作品も三角関係を描いています。

人間関係がコントラストの上に成り立っている

『危険な情事』の妻ベスと愛人アレックスは対照的な二人です。明るい性格と暗い性格。思いやりのある妻と自己主張が激しい愛人。既婚女性と独身女性。前向きな人生観と、執着が強くて悲観的な人生観。

『ブロードキャスト・ニュース』のトムは凡才ですがハンサムで、才気あふれるアーロンとは対照的です。アーロンは優秀ですが、ジェーンにとっては友だち以上恋人未満の存在です。トムは自信家、アーロンは弱気。トムは粘り強い性格で出世しますが、アーロンは憧れのニュースキャスターになった途端に緊張して大失敗をします。

三角関係では二人の異性を前にした女性または男性が決断に迫られる

三角関係のドラマはキャラクターが決断に悩む姿や、決断がもたらすものから生まれます。

『危険な情事』の冒頭でダンはアレックスと一夜を過ごすことを決め、第一幕の終わりで彼女と二度と会わない決断をします。この決断の結果が第二幕と第三幕の流れを作ります。

『ブロードキャスト・ニュース』のジェーンはトムとアーロンの間で揺れ動き、決断の難しさがストーリー全体で描かれています。監督と脚本を担当したジェームズ・L・ブルックスはこう言っています。「この映画では真の三角関係を描きたかった。最初から作り込まないってことさ。普通は一人が悪人か、欠点があるか、色気がないかで――結末が読めてしまう。僕はこのストーリーを書き始める時に、彼女がどちらの男を選ぶかを決めず、流れにまかせることにした。脚本を書きながら、彼女が一方に接近したら、すぐに別の方へと引き戻した。どちらも選ばないとは考えていなかったが、結局、そういう終わり方になった」

創作する時に難しいのは、甲乙つけ難い選択肢を設けることです。『危険な情事』のダンは早い段階でアレックスを選んでいますが、それは第一幕での彼女が聡明で魅力的だからです。アレックスは地味なベスより遊び心があり、男心をそそります。ダンは不倫を続ける可能性もありましたが、第一幕で別れる決断をします。それを見たアレックスは彼を手に入れるために戦う決意を固めます。

選択肢に明らかな優劣があれば三角関係はうまくいきません。しかし、モラルが問われる選択肢であれば、激しい心の動きが描けます。

『ブロードキャスト・ニュース』ではジェーンがトムの倫理観に疑問を感じ、彼が取材でやらせをしたことを知って憤ります。『危険な情事』ではダンが次々と選択に迫られます。浮気したことを妻にいつ打ち明けるか。アレックスを説得するにはどうすればいいか。また、二人の女性に対して、彼はどう責任を取ればいいか。どの選択にもモラルが問われます。

三角関係では三人それぞれに自分の意思と強い意図をもたせて行動させること

何もせずに待つだけのキャラクターがいれば、三角関係は停滞します。二人ではなく三人が行動に出るから面白いのです。

『危険な情事』ではダンの決断がプロットを前に進めます。彼の意図（一夜だけの情事をすること）はたやすく実現したかのようですが、彼はアレックスの反応を予測していませんでした。ダンの意図に反して、彼女はまた会いたいと言い出します。二度目のデートでもダンの意図は彼女の意図と食い違います。アレックスは彼ともっと一緒にいたいが、ダンは帰りたい。ダンは自分が思うとおりにしますが、アレックスの思惑に気づいていません。第二幕でアレックスはダンにしがみつき、ダンはますます逃げようとします。ここで妻ベスが自分の考えに従い、行動に出ます。第三幕の初めでベスは夫の不倫に気づき、関係の清算を迫ります。

この映画は三人のうちの誰かが受け身の状態であれば成立しなかったでしょう。三人がそれぞれに、自分の意思でアクションをしています。

三者の意図の相違で葛藤と対立を引き出す

二人の人物の間には、それぞれの主観から見た葛藤と対立が合計二つ発生します。三角関係では三人の主観が入り混じり、葛藤と対立は一気に六つに増加します。

『危険な情事』では、いろいろな場面でダンがアレックスと、また、ベスとの間で、葛藤し、対立をします。ベスの主観からはベス対ダンと、ベス対アレックス。アレックスの主観からはアレックス対ダンと、アレックス対ベスの葛藤と対立がありますが、どの葛藤と対立もキャラクターの主観によって少しずつ異なります。アレックスはベスからダンを奪いたい。ベスは自分を裏切るような夫とは一緒に住みたくありませんから、家庭や自尊心を守りたい。ダンは現状を維持したい――でも、それはもはや不可能です。複雑な三角関係も、それぞれの人物の立場に立つと理解しやすくなります。脚本家は一人ひとりのキャラクターの内面を掘り下げ、他の人物との関係を考えます。それができればストーリーの中でアクションが次々と展開し、危機感がどんどん上がります。

葛藤と対立はキャラクターの不安や欠点、選択ミスや激しい感情を浮き彫りにする

完全無欠なキャラクターなどいません。みな心に何か闇を抱えています。

『ブロードキャスト・ニュース』のジェーンは自分が何を望んでいるかがわかっていません。仕事にかけては優秀で、社会に対する意見を持っていますが、自分を守ることしか考えていません。アーロンはニュースキャスター志望ですが、自分の本当の適性がわかっていません。短気で動揺しがちであり、あまのじゃくでもあります。トムは自分の平凡さを自覚していて、ジェーンやアーロンのように高い意識で報道に携わってはいません。ジェームズ・L・ブルックスはこう言っています。「僕は一生懸命にリアリティを求め、欠点のある三人を描いた。彼らの根本的な間違いや、直すべきところははっきり言えるよ。トムは報道マンとして失格だ。志のために身を捧げはしないからね。だが、彼はおっとりしていて、感じのいい男だ。仕事はほどほどにして、人生を楽しみたいと思っている。アーロンは仕事熱心だが、理屈屋で、人を見下す面がある。ジェーンは何かをすべきだという強迫観念に駆られて行動しがち。だが、はっきりとした目的をもち、常に人々のために努力をする。彼女が言うことはいつも正しく、自分の考えをごり押し

して問題を解決しようとする。これも強迫的な行動パターンだ。この三人を思い浮かべる時は、いつも彼らの欠点を考えた。だが、それと同時に、ヒーローのようにしようとも考えたよ――彼らの特別な資質とは何だろう、とね。誰でも自分の欠点や弱点は知っている。でも、英雄的な部分は何かと聞かれたら、ちょっと考え込んでしまうよね」

キャラクターの欠点は触媒のようにストーリーを変化させます。『危険な情事』のダンの浮気も欠点と言えるでしょう。『ブロードキャスト・ニュース』のジェーンがなかなか決断できないのも、自分の不完全さのためです。

『危険な情事』も『ブロードキャスト・ニュース』もキャラクターの内面の複雑さによってパワフルな三角関係が生まれています。みな自分の心の葛藤や渇望や頑固さに翻弄されているのです。

三人の中の誰かが「シャドウ」に駆り立てられて動くと、他のキャラクターの欠点や不完全さが浮き彫りになることが多い

『危険な情事』のダンは幸せな結婚生活を送るナイスガイですが、彼の人格のシャドウの側面は嘘つきで見栄っ張り。彼がアレックスに惹かれるのは、彼の影の人格の部分が動いたからです。アレックスは魅力的でセクシーなキャリアウーマンですが、潜在意識の中では不安や焦燥感を抱えており、ダンに対して歪んだ捉え方をします。

三角関係では一人のキャラクター（あるいはそれ以上）が深層心理に隠れたシャドウに突き動かされます。『ブロードキャスト・ニュース』では目立ちませんが、ガストン・ルルーによる小説『オペラ座の怪人』やピエール・ショデルロ・ド・ラクロの小説『危険な関係』など、多くの作品で顕著に見られます。

戯曲『危険な関係』〔クリストファー・ハンプトンが戯曲化を担当〕のトゥールヴェル法院長夫人は高潔な女性ですが、ヴァルモン子爵の前ではシャドウ（官能と欲望）に駆り立てられて、彼に心が惹かれます。一方、軽薄に見えるヴァルモン子爵のシャドウは高潔で善良です。これは意外であり、また、珍しいことでもあります。一般的に、シャドウといえばダークでネガティブな側面を連想しますが、本来は「暗闇」という意味であり、抑圧された人格を指しています。ヴァルモン子爵の場合は高潔さが闇に隠れているわけです。トゥールヴェル法院長夫人とのやりとりで、彼の中で抑圧されていたやさしさや愛情が目覚めます。顕在意識での彼は嘘つきで狡猾。無意識レベルでの彼は愛や共感、思いやりに満ちています。

他の人物に対して何かが隠されている時、三角関係はパワフルになる

たとえば動機が隠されている場合。『危険な情事』のアレックスが必死にダンを奪おうとしていることを、妻ベスは知りません。また、行動が隠されている場合。『ブロードキャスト・ニュース』のジェーンはトムが取材でやらせの演技をしたことを知りません。あるいは、態度が隠されている場合。ベスはダンの浮気に気づいていませんし、ジェーンはアーロンの恋心に気づいていません。

キャラクターの深層心理がストーリーを前進させる時もあります。キャラクター本人はこれに気づいていません。アレックスは自分がダンに強く執着していることを意識してはいないでしょう。ダンの意図を誤解し、潜在意識に隠れたものを知らず知らずのうちに彼に投影しています。彼女は自分でも理解できない衝動に突き動かされ、ストーリーを複雑に展開させていくのです。

隠れた心理や事実にはキャラクターを危機に陥れる力があります。それが明るみに出る瞬間が、ストーリーの中で最も重要です。ベスが夫の浮気相手アレックスの存在に気づく時、結婚生活は危機に陥ります。

ジェーンがトムのやらせ報道に気づく時、彼との恋は破局に向かいます。

三角関係のストーリー創作は、三つのお手玉を操り続けるようなもの。プロットやシナリオがこんがらがって立ち往生するケースは三角関係の場合が非常に多いと筆者は思います。要素ごとに分解し、すっきりとまとめる必要があるでしょう。複雑な人間関係をうまく描けば、非常にパワフルなストーリーになることもまた、事実です。

▼ケーススタディ――『チアーズ』

長年の放映期間中に不測の事態に直面してキャラクターの刷新を図った例として、テレビドラマシリーズ『チアーズ』があります。一九八二年秋のプレミア放映を皮切りにスタートしましたが、一九八四年から八五年のシーズン中に、主要人物の一人であるコーチ役の俳優ニコラス・コラサントが死去。制作側は新たなキャラクターの考案を余儀なくされました。また、一九八七年にダイアン役のシェリー・ロングが降板。代役の登場のさせ方や、キャラクターの相関図の変更が検討されました。

クリエイターの一人であり、多くのエピソードを監督したジェームズ・バロウズ（グレン・チャールズとレス・チャールズとの三人体制）は、当時の過程をこう語っています。

「地元のバーを舞台に、男優スペンサー・トレイシーと女優キャサリン・ヘプバーンのような絶妙なかけ合いの人間ドラマを描きたかった。都会の女と下町の男という、対照的な組み合わせでね。現実主義と理想主義。男が無理だと言えば、女は可能だと言い返す。よくある衝突だよね。男女二人のドラマとしては最高だ。最初に考えていたのは女が店主で男が従業員。だが、脚本家たちが提案してきたのは、元スポーツ選手が経営するバーに、たまたま女子大生がやってくる、という話だった。

そこからアイデアを発展させて、サムは元アルコール依存症患者、ダイアンは父を亡くし、飼っていた子猫も一歳で死んだ設定にした。二人を接近させては引き離して動きを作った。

難しかったのは、賢いダイアンにも同情を感じさせることと、体育会系のサムが愚かに見え過ぎないようにすることだ。

僕たちは人物が徐々に成長して変わっていくドラマにしたかった。普通、シチュエーションコメディでそういうことはしないから、外部の評価は割れたよ。でも、それは気にせず、キャラクター像を深く作り込んでいった。

その方向性でいい脚本が仕上がってきたし、サムとダイアンを演じる二人も相性がぴったり。本当にラッキーだったよ。成功したのは運のおかげ。キャストに恵まれたんだ。彼らがキャラクターに命を吹き込んでくれて、舞台設定よりもキャラクターの方がずっと重要な存在になった。

脇役たちの人間関係もしっかり作った。ウェイトレスのカーラはきっとサムが好きだろう。実際に好きだし、今も好き。だから、恋敵のダイアンとは確執がある。ダイアンに八つ当たりするカーラがかわいそうに見えるから、ぎすぎすした感じは出ないよ。こうした関係を何年もかけて発展させていくのはとても面白かった。潜在的に、カーラは自分よりもダイアンの方が賢いと思っているだろう。だが、カーラには生活の知恵みたいなものがある。ダイアンの家庭は幸せだが、カーラは多くの子どもを抱える苦労人。ダイアンにそういう苦労はない。

シチュエーションコメディはキャラクターどうしの対立があってこそ、前に進む。初期のサムとダイアンがそうだ──そして、カーラがサムにどう反応し、みんながおしゃべりなクリフにどう反応するか。ダイアンはサムに借金があるのに自分の服を買ってしまい、サムが『返済がやけに遅いな』といぶかしがる、といった単純な話を面白く描けたのも、いろいろなキャラクターがいたおかげだ。

ダイアン役のシェリーが降板するというので、昔の案に戻って考え直した。女性がバーの店主になる案だ。サムは人気者だから、はずせない。彼がいなくなれば番組は存続できない。これはサムの店だし、彼がいるからみんな来る。カースティ・アレイ［レベッカ役の女優］を迎えて、キャラクター全員を大事にする形に戻ったんだ──それから群像劇の色合いが濃くなった。

当初、レベッカはイヤなタイプの女という設定だったんだけどね。ダイアン役だったシェリーほど笑わせてくれる女優はいないと思っていたから、コメディ女優は求めていなかった。金髪の女性もウェイトレス役も、すでにいるから除外。そして、最初に会った候補者がカースティだった。キャスティング・ディレクターのジェフ・グリーンバーグが『ぴったりの人を見つけたよ』と言ったんだ。オーディションでのカースティの演技は面白いツッコミどころを感じさせた。意外な方向性だったよ。すぐに作品の関係者は『彼女をキープしよう』と言い、かなり気に入った様子だった。こちらが想像していた人物像とは異なるが、かなりいいのではないかと僕らは話し合った。

カースティは神経質でおっちょこちょいな雰囲気をキャラクターに加えてくれた。大成功だったよ。番組はまったく新しい雰囲気になった。

レベッカ役はこの方向性でいこうと決めてから、彼女のバックストーリーを作り始めた。コネチカットの大学卒でニックネームがあり、昔の職場で失敗多数ということにした。

レベッカとサムの関係も工夫したよ。彼女はサムに魅力を感じず、サムがそれを意外に感じたら面白いと思った。サムは当然、レベッカに対しても『俺がその気になれば、いつだってきみは俺のもの』という態度。だが、ダイアンとの間柄以上には発展させないようにした。彼はダイアンに接近したけど、二年間、結局は友だち止まりだったからね。

レベッカは他のキャラクターたちとも交流する。客のノームとは互いを気遣う、いい関係だ。あるエピソードでレベッカに身の上話をさせようとした時に、聞き手がサムなら彼女に手を出してしまいそうだが、ノームなら大丈夫だと思った。彼には下心がないからね。彼にレベッカの話を聞かせることで、彼女の情報が引き出せる。

カーラにとってレベッカは上司だから、きつく出られない。ダイアンとの関係ほどダイナミックにはできなかったが、カーラの夫を登場させて、そちらの方でいろいろと表現した。

番組が三年目を終える頃にニコラス・コロサントが亡くなり、代わりが必要になった。彼の病気のことは、その一年ほど前から知らされていたから考える時間はあった。バーテンダー役で、年配の役者ではなく、若い役者。それ以外には考えられなかった。他局のドラマ『ファミリータイズ』に若い視聴者をごっそり奪われそうだったから、対策が必要だったんだ。また、コーチと同じように、バカなジョークを言うキャラクターを考えなくてはならなかった。とぼけたことを言いながら、同時にプロットの説明もできるボケ役は、コメディの脚本にはありがたい存在だ。結局、田舎の若者という設定にしたよ。それが発展してウッディというキャラクターになった。元々の設定は、やせっぽちで出っ歯で、垢抜けない青年で、騒がしい性格。これなら確実にウケるだろうと思った。

ウッディはコーチと同じ種類のジョークを担当した。コーチが去り、このドラマは『父親のような存在』を失ったが、ウッディの登場で『息子のような存在』を得た。他はほぼ同じだ。

多くの見直しや変更をしたけれど、それでもうまく番組が続いたのは奇跡的だよ！」

クエスチョン

これまでの内容は、どんな人間関係にも使えます。主役や脇役の人間関係を豊かにして、ストーリーに活力を与えましょう。あなたが創作中のキャラクターについて、次の質問に答えてください。

- キャラクターの間に葛藤と対立はあるか？　それは行動、態度、価値観を通して表現されているか？
- キャラクターに対照的な特徴を与え、違いを際立たせているか？
- キャラクターには互いを変化させる可能性があるか？　二人が一緒にいる理由は？　互いの引き寄せ合いははっきりしているか？　相互に与え合う影響は？

まとめ

ドラマには人間関係が必要です。人はめったに一人でいることはなく、誰かと影響を与え合い、変化していきます。

ダイナミックな関係がなければ人物像も味気なくなります。キャラクターの個性を考えるのと同じように、他の人物との葛藤と対立、コントラストを際立たせ、パワフルな人間関係を描いてください。

第6章

脇役キャラクターを追加する

脇役を付け加えることは、パレットの上の絵の具の色を増やすようなものです。絵にディテールを添えるようにして、脇役たちはストーリーに深みや色彩、質感を与えます。

主要なキャラクターを創作する際の方法は、おおむね脇役にも当てはまります。一貫性や態度、価値観、感情に加え、矛盾する面も必要です。

ただし、注意点もあります。ここに結婚式の様子を描いた絵があると想像してください。新郎新婦を中心として、周囲に多くのディテールが描かれています。参列者たちの個性ははっきり描かれていませんが、何人かは少し目立ちます。たとえば、手前に赤いドレス姿の若い女性がいて、式場に迷い込んだ子猫に手を差し伸べています。教会の壇上には牧師が厳粛な表情で立っています。新婦のそばでは黄色いレースのドレスを着た母親が、感動で涙ぐんでいます。

絵の脇役たちはメインの新郎新婦と共に、私たちの記憶に残ります。誰だかよくわからない人（エキストラの客）たちもまたストーリーを豊かに表現し、愛と結婚のテーマを伝えるために存在しています。

ストーリーを作っているうちに脇役の存在感が予想外に大きくなることは珍しくありません。これはよい効果を生む時もあります。テレビドラマ『ハッピーデイズ』の不良少年フォンジーや『ファミリータイズ』の長男アレックスは脇役ながら人気を博し（アレックスは後にメインキャラクターとなり、彼を演じたマイケル・J・フォックスはエミー賞のコメディ部門で主演男優賞を獲得した）、時折メインに躍り出ることもありました。クリエイターのジェームズ・バロウズは『チアーズ』の脚本についてこう言います。「よい脇役がいれば、必要なだけ使えばいい。ダイアンの恋人役のフレイジャーも、三年目にダイアンをバーに戻って来させるために作ったキャラクター。だが、とてもよかったから、続けて登場させることにした」

劇作家のデール・ワッサーマンも「脇役が主役よりも面白くなる時があるね。主役はストーリーを進める役目を負うが、脇役はその重荷がないからカラフルになれる」と言っています。

これには危険もあります。脇役が大きくなり過ぎると、ストーリーのバランスが崩れるのです。創作の過程をたどり、脇役のポジションを理解しておきましょう。

- どんな働きをさせるか決める
- その働きをさせるために、他のキャラクターとのコントラストをつける
- ディテールを加えてふくらませる

脇役の働き

まず、考えてみましょう。ストーリーを伝えるために、主人公以外に必要なのは誰か。また、主人公の周りにいるべき人物たちは誰か。

それを念頭に置けば、キャラクターをむやみに増やすのを防げると同時に、必要なキャラクターがはっきりします。主役と脇役たちとをバランスよく配置し、登場人物の増え過ぎによる混乱を未然に防ぎましょう。

脇役はいくつかの働きを担います。たとえば、主人公の役割をはっきりさせること。テーマを伝え、ストーリーを前に進める補助もします。

脇役は主人公の役割を明確に打ち出し、重要性を与える

主人公が母親や社長、レストランの会計係といった役割や職業を持つなら、それにふさわしい人物たちに囲まれているはずです。

母親には子どもがいます。社長なら副社長や秘書、運転手やボディガードがいるでしょう。レストランの会計係の周囲には、ウェイターや支配人、シェフや洗い場担当、客などがいます。人数や強調の度合いはストーリーに合わせて決めてください。いずれにしても、こうした脇役がいなければ、主人公のポジションをはっきりと伝えることができません。

テレビドラマ『ミッドナイト・コーラー』が作られた時も、主人公のラジオDJジャック・キリアンを取り巻く職場の脇役たちが必要でした。クリエイターのリチャード・ディレロによると「三人の脇役を作ったよ。まず、ラジオ番組のエンジニアで、リスナーからの電話を受けるオペレーター、ビリー・ポーだ。また、これは犯罪物のドラマだから、警察署に出入りする人物が必要。かつての上司ジマク警部補がそれに当たる。そして、主人公に救いの手を差し伸べるのがプロデューサーのデヴォン。聡明で魅力的で、主人公にひけを取らないパワフルな存在にした」

では、プロデューサーのデヴォンとエンジニアのビリー・ポーが、シーンの中でいかに主人公を補佐していたかを見てみましょう。

渡された台本を読むキリアン。ブースの中にいるビリー・ポーを見上げる。ポーはコンピュータを立ち上げている。キリアンは台本をゴミ箱に放り込む。

デヴォン　何してるの。
キリアン　こんなもの読めるか。
デヴォン　読めないってどういうこと？
キリアン　アドリブでしゃべらせてくれ……。
デヴォン　だめ。悪いけど、あなたのために書いたの――
キリアン　言ってる場合じゃないだろ？

　放送中のサインが点灯。キリアンは頷く。デヴォンは深いため息をつき、マイクに向かう。

デヴォン　ＦＭ98・3、ＫＪＣＭラジオ『ミッドナイトアワー』デヴォン・キングです……今夜のＫＪＣＭがお届けするのは待望の新番組『ミッドナイト・コーラー』。運転席のあなたにも……元刑事ジャック・キリアンが警察の仕事や手続きに関する疑問にお電話でお答えします……しかしながら、ジャック・キリアンの回答はサンフランシスコ警察の公認の見解ではないことをご承知ください……。
デヴォン　……また、ＫＪＣＭの見解や方針を表す――**ポー**　もしもし、ＫＪＣＭ『ミッドナイト・コーラー』です。お名前とおところをどうぞ。
とは限りません。
デヴォン　では、ジャック・キリアンをご紹介しましょう――
キリアン　こんばんは、ナイトホークです！

　デヴォンはキリアンをちらりと見るが、すぐに言葉を続ける。

デヴォン　ミッドナイト・コーラーの司会者です。

（時間経過）……放送中のサインが消灯する。デヴォンはキリアンを見る。

デヴォン　ナイトホークですって？

キリアン　ああ。気に入ったかい？

デヴォン　別に。

脇役はストーリーのテーマを伝える補助をする

作り手として、あなたの中に、伝えたいテーマやメッセージがあるはずです。それを説明口調で語らなくても済むように、脇役を使ってください。

まず、テーマをはっきりさせます。本当の自分を探すアイデンティティや生き方の問題、共同生活、支配、名声、愛などいろいろあるでしょう。テーマが絞れたら、それを一人ひとりのキャラクターに表現させます。

『アメリカのありふれた朝』はアイデンティティと意味を探す物語です。作者ジュディス・ゲストはこう説明します。「コンラッドとカルヴィン父子は悲しい事件を乗り越えて成長しますが、存在感が薄いままのキャラクターもいます。彼らは『考えずに生きること』を表しています。どのキャラクターもテーマの表か裏のどちらかを表現しているのです。精神科医バージャーとカルヴィン、コンラッド、ジャニーヌ、キャロルが表すのは『考えて生きること』──彼らは人生を深く掘り下げる人々です。一方、スティルマンとレイとベスは表面的な生き方しかしていません。変わる意志がないか、変わることができない人々です」

戯曲『カッコーの巣の上を』は権威への反抗というテーマをめぐり、抑圧や支配、力の獲得などが描かれています。

この作品では恐怖心を表す人物や安全を求める人物、強くなりたいと願う人物などが脇役として登場します。例として、三人の人物の主張を見てみましょう。

医師のスパイヴィはラチェッド看護師長の手先のような存在で、抑圧する側の立場にいます。

スパイヴィ　セ・ラ・ピュー・ティック・コ・ミュ・ニ・ティ。治療共同体、つまりこの病院は小さな一つの社会なんだ。そしてだれが正気で、だれが正気でないかを決定するのは社会なのだから、きみもその設定に従わねばならない。われわれの目標は、この病院を完全な民主的社会にすることだ。管理するのはきみたち患者ということになる──それがきみたちを外の社会に復帰させるのに役立つわけだ。大事なことは、きみたちの心の膿を完全に取り除くことだ。しゃべること、議論すること、告白することだ。ほかの患者がなにか重要なことを言うのを耳にしたら、それを患者日誌に書いておく。この方法をなんと呼んでいるか知っているかね？

マクマーフィ　密告。

患者ハーディングは自分の弱さを認めていますが、どうすることもできないでいます。

ハーディング　世界は強者のものなんだぜ、きみ。ウサギは狼の強さを知っている。だから狼がそばにくると穴を掘って隠れるんだ。狼に闘いを挑んだりはしないんだよ。（笑う）ミスター・マクマーフィ……ねえ、きみ……ぼくは鶏なんかじゃない。ウサギなんだ。ここにいるのはみんなウサギさ、ウォルト・ディズニーの世界でピョンピョン跳びはねてるんだ！　ビリー、ミスター・マクマーフィのために跳びまわってやれ。チェズウィック、きみの毛皮を見せてやれ。ああ、みんな恥ずかしがってるんだな。どうだい、かわいいじゃないか？

インディアンのチーフ・ブロムデンも支配と抑圧を感じていますが、自分は「大きくない」から戦えないと思っています。

チーフ　ぼくにはきみを助けることができないんだ、ビリー。ここではだれも助けられないんだ。だれかを助けようとすると、とたんにその男は自分を危険にさらすことになる。マクマーフィはそれがわかっていない――ぼくたちは安全でいたいんだ。だからだれもやつらの霧のことに文句を言わないでいる。どんなにひどい霧でも、そのなかにもぐりこんでしまえば安全と思われるんだ。[*1]

それぞれの人物が抑圧というテーマを表現しています。医師のスパイヴィは報告係として患者たちを抑えつける一端を担い、ハーディングとチーフは戦わず、服従的な態度を示しているのです。

脇役はストーリーを進める情報を提示して変化を起こす役割も担える

『刑事ジョン・ブック 目撃者』のサミュエル少年は捜査に必要な情報をジョン・ブックに提供します。

ブック　私は刑事だ。何を見たか、全部教えてくれ。
サミュエル　男を見た。
ブック　それは誰だ？
サミュエル　彼を殺した人。
ブック　よし、サム。その男はどんな外見だった？
サミュエル　あの人に似てる。
（サミュエルはジョンの相棒のカーターを指差す）
ブック　黒人か。黒い肌の？
サミエル　でも、シュトンピッグじゃない。
ブック　なんだって？
レイチェル　農場では仔豚をそう呼びます。一番小さい豚のことです。

脇役に人柄や特徴を与える

ストーリーのためのキャラクター創作は行き当たりばったりではできません。必要な人物を絞り込んだら、次はストーリーのデザインに合う色調や質感、人柄や特徴を選びましょう。いろいろな選択肢があります。

コントラストをつけると最も鮮やかな表現ができる

主人公との対比や脇役どうしの対比を考えてみてください。容姿の面では色白の肌と浅黒い肌、太めと細め、敏捷な動きとゆっくりした動きなど。態度の面なら皮肉屋と楽天家、素朴な人と洗練された人、好戦的な性格と温和な性格、熱血漢とクールな人などです。

これは群像劇のような作品では特に大事です。『L.A.ロー 七人の弁護士』では多くの面でコントラストをつけたと脚本家兼プロデューサーのウィリアム(ビル)・フィンケルは言っています。このテレビドラマでは主要人物に近い位置づけの脇役も何人かいます。それぞれの個性の違いを打ち出すために、次のようにしたそうです。

「まず、仕事への態度。管理職のブラックマンは法律事務所の経営面に関心を注ぐ。クーザックはイデオロギーへの意識が高く、倫理や政治の問題に積極的。ベッカーはかなり物欲が強くてエゴイストで、自分を偉く見せたがる。マーコイッツは会計士で税務に強い弁護士だから、現実主義だね。ケルシーは社会に関心があり、フェミニスト的な感覚も強い。

人種と社会的な階級の面でもコントラストをつけた。ビクトル・シフエンテスは東ロサンゼルスに住むヒスパニック系。白人が多いダウンタウンの法曹界での成功に葛藤がある。独身でハンサムだ。社会的な意識が高く、進んだ考え方をする。マーコイッツはアッパーミドルクラスのユダヤ系で年齢的にも落ち着いている。四十代で結婚し、家庭を築き始めたところだ。こまかいことにこだわる性格で、場を仕切ろうとして周囲を息苦しくさせる面もある。

マッケンジーは六十代。人生観が変化する年頃だ。シニアパートナーとして事務所で力を持っている。ジョナサン・ローリンズは黒人でミドルクラス。犯罪率が高いコンプトンで育った黒人との違いをやや自負している面がある。秘書のロクサーヌは結婚願望が強い。弁護士よりもはるかに年収が低いから、金銭感覚もかなり異なっている。

独身者と既婚者も配分を考えてあるよ。ローリンズとシフエンテスは独身、ケルシーとマーコイッツは既婚、アビーとブラックマンは離婚経験者。アビーはシングルマザー、ケルシーとマーコイッツは新婚だ。社会貢献と報酬のどちらを重視するかも対照的だ。刑事事件を扱うクーザックとシフエンテスは強姦事件の被告側の弁護を請け負うかもしれないが、夫婦問題を主に扱うベッカーはそうした案件にまったく関心がないだろう。

それからスタイルの対比。衣装（ベッカーは特におしゃれ）、車（グレースは古いＢＭＷ）の設定や、自宅やオフィスの内装や家具にも個性を反映した。シフエンテスはメキシコの画家ディエゴ・リベラのポスターを職場に貼っている。ベッカーはモダンで無機質な、大胆なデザインのインテリア。ケルシーはオフィスにしては少々くだけた、アメリカ南西部っぽいリラックスした感じだ」

出番が少ないキャラクターも、対照的にすると面白い輝きが出ます。

ローレンス・ラスカーとウォルター・パークス脚本の映画『ウォー・ゲーム』（一九八三年）では主人公デヴィッドに情報を与える二人のキャラクター、マルヴィンとジムが登場します。彼らの役目はハッキングの方法を教えることだけ。単調なシーンになりがちですが、コントラストとリズムで面白さを出しています。

マルヴィンは「痩せ型でハイテンションの青年」、ジムは「肥満体でだらしない服装、横柄」という設定です。早口で神経質なマルヴィンと、悠然としたジムの態度が対照的です。

デヴィッド　これを見てくれ。
マルヴィン　なんだ、これ？　……どこで手に入れた？
デヴィッド　プロトビジョン〈劇中に登場するパソコンゲームメーカー〉に侵入したくて……やつらの新しいゲームのプログラムを探してた。

ジムはプリントアウトした用紙を取ろうとする。

マルヴィン　待て……まだ全部読んでない。

ジムはかまわず奪い取る。メガネの分厚いレンズ越しに、じっと読む。

ジム　世界全面核戦争……そんなの、ねえぞ、プロトビジョンには。
マルヴィン　当たり前だろ……どこで見つけたか聞けよ。
デヴィッド　言っただろ。
マルヴィン　軍だろう。間違いなく、軍だ。機密文書だろうな。
デヴィッド　軍のものなら、なぜブラックジャックやチェッカーが？

ジム　基本戦術の教材だろ。

おかしな三人を、怪訝な表情で見つめているジェニファー。

マルヴィン　誰だ。
デヴィッド　僕と一緒に探ってる。
マルヴィン　なんでそこに突っ立ってるんだ……テープドライブがあるんだぞ……触らせないでくれよ。面倒な機械なんだから。
ジム　侵入したいならシステムを作ったやつに聞け。
デビット　無理だよ。そいつが誰かもわからないのに？

ジムはじっと考える。マルヴィンはいらだち、口をはさむ。

マルヴィン　まったくバカだな。信じられないよ。考えりゃわかるだろ、俺はもうわかった。
デビッド　そうか、マルヴィン。教えてくれ。
マルヴィン　リストの最初のゲームさ。ファルケン〔劇中に登場する博士〕の迷路から入るんだ。

マルヴィンとジムはこの短いシーンにしか登場しませんが、きちんと描き分けられています。情報だけを都合よく提示するのではなく、コントラストが強い二人を配置していきいきと、興味をそそるシーンに仕上げています。

エクササイズ

二人の弁護士、二人の警察官、二人のブランコ曲芸師、二人の大工、二卵性双生児を使い、対照的なキャラクター設定を考えてみてください。

あえて脇役たちを似たタイプで揃える時もある

性格や特徴が似た脇役で統一すると効果的な場合もあります。『風と共に去りぬ』でスカーレットに求婚する男たちは似たようなタイプであるため、レット・バトラーの個性が際立っています。

悪者やボディガードなども同様です。背景として存在する場合――ミュージカル『コーラスライン』のダンサーたちや、船員や事務員たちなども、全体を揃えて目立たないようにします。

一つの特徴だけを誇張して、その人物像を表現してもよい

笑いを誘うキャラクターには特に当てはまる手法です。『ワンダとダイヤと優しい奴ら』のアーチーの妻ウェンディは常にイライラしていて、何をやってもうまくいかない女性という表現がなされています。タイヤがパンクしたり、娘の顔にニキビができたり、食器にひびが入っていたり。ゲームのブリッジはうまくいかず、ドリンクに入れる氷もなく――いつも何かが起きるのです。ウェンディは面倒なことに襲われてばかりいます。

身体的な特徴を際立たせてもいいでしょう。『プラトーン』（一九八六年）の鬼軍曹バーンズの傷跡は悲惨な体験を重ねてきたことを窺わせます。かたくなで人を恨む気持ちが強く、歪んで腐敗した心を感じさせる容貌です。

脇役の内面にもコントラストや矛盾を設定してみるとよい

一人の脇役の内面に何かを与えて、記憶に残るタッチを加えることも可能です。ジェームズ・ボンドの映画『007 リビング・デイライツ』（一九八七年）で俳優ジョー・ドン・ベイカーが演じた大柄の悪者は、まるで子どものように、おもちゃの兵隊で遊ぶのが好きでした。よくある悪者キャラクターとは一線を画するディテールです。

映画『ポリス・アカデミー』シリーズには金魚を大事に飼っている校長が登場します。『フライングハイ』（一九八〇年）には強い訛りのある黒人英語を使いこなす白人女性と、大騒ぎする乗客に平手打ちをする修道女が出てきます。

どの例も、キャラクターは一瞬登場するだけです。しかし、人物のイメージと真逆のことをさせ、ユーモアと意外性を出しています。

意外な特徴を与える時も注意が必要です。足を引きずる、顔を歪ませる、傷跡がある、といった表現は珍しくなく、たいして多面性を感じさせない場合も多く見受けられます。陳腐な表現にならないよう、キャラクターの知られざる一面を想起させる特徴を選びましょう。

伏線として回収ができるような、しっかりした理由がある特徴を選ぶと最も効果的です。『ワンダとダイヤと優しい奴ら』でオットーがニーチェの哲学書を読むのは、彼が愚かではないことを伝えています。

『フライングハイ』では黒人英語を話す女性と平手打ちをする修道女が飛行機内の混乱を静めるのに貢献します。

人柄や背景がキャラクターのタイプを作る時もある

キャラクターのタイプは固定観念を表すステレオタイプではありません。役割やジェンダー、人種によって決めつける（たとえば「頭の悪い秘書」「クールな黒人」）のではなく、行動で定義します。特徴的なアクションを、観客や読者が認識しやすいように、はっきりと示しましょう。

大昔からフィクションにはタイプ的な描写が見られます。古代ローマ時代の演劇では、ほら吹きの兵士や物知り顔の学者、寄生虫のようなたかり屋、間抜けな父親、じゃじゃ馬、にやけた男、ずる賢い奴隷、策略のうまい従者、道化師、トリックスター、無作法者などのタイプがありました。後世の劇ではずるい女中や恋する青年、愚者なども見られます。メロドラマでは口髭を生やした悪者やハンサムなヒーロー、かわいい子どもなど定型的なタイプが頻繁に使われました。

こうした特徴——愚かであるとか、物知り顔であるなど——は、けっして「父親はみな愚かだ」とか「学者はみな物知り顔だ」と決めつけているのではありません。父親や学者という大きな枠組みの中で、愚かな者や物知り顔の者がタイプとして存在するという意味です。キャラクターのタイプは大切な要素であるのに対し、ステレオタイプはストーリーの幅を狭めるだけです。ステレオタイプについては第9章で詳しくお話しします。

タイプを重視すべき場合もあります。「テレビドラマで少しだけしか登場しないキャラクターは、あえてわかりやすい表現にする。いじめっ子はいじめっ子らしい容貌でないと、視聴者にすぐ伝わらない。外見でキャラクター性を伝えたら、あとは他の人物との面白いかけ合いに取りかかれる」とジェームズ・バロウズは言っています。

キャラクターのタイプは大きな特徴を打ち出して表現してもよいですし、ディテールをこまかく描いてもかまいません。モリエールの戯曲の登場人物タルチュフは偽善者タイプのペテン師です。『ハムレット』のポローニアスは老いた父親です。どちらもディテールがふんだんに描かれています。

演劇教師で演出家のコンスタンティン・スタニスラフスキーは俳優を指導する際は常に、演技にディテールを加えるように言いました。これは書き手にとっても役立ちます。

「一般的な見方でも人物描写はできる——たとえば、兵士。プロの兵士は直立不動で、歩き方は行進するかのようだ。民間人とは違う。靴の踵をカチンと合わせ、吠えるように大声で話す癖がある。（中略）だが、それは簡略化し過ぎだ。（中略）描写としては合格でも、キャラクターとは呼べない。（中略）旧態依然とした、陳腐な描写だ。（中略）決まりきった形式であり、人としての精彩はない。観察力がある俳優は、そうしたカテゴリーを細分化して選択をする。軍隊の男性の中から特徴を作ることができ、普通連隊と衛兵連隊、歩兵隊と騎兵隊、下士官と将校と司令官の違いを知っている。（中略）さらにこまかく観察する俳優もいる。すると、イワン・イワノビッチ・イワノフといった名前がある、唯一無二の特徴をもつ兵士が出来上がる」[*2]

脚本の場合、こまかな仕草や目線などの表現は俳優次第ですが、書き手の方でもキャラクターの本質を鋭く突いた設定をしておくことが必要です。俳優は具体的でないものを演じることができません。また、俳優は具体性に欠けるキャラクターに魅力を感じにくいでしょう。それは小説などの読者にとっても同じです。

キャラクター像をふくらませる

ストーリーの中での働きを決めて人柄や特徴を設定すると、キャラクターはかなりリアルな姿になっていきます。さらに、あなたが観察や実体験で得たディテールを加えてみましょう。

自分がキャラクターの中に入り込んだような表現になる時もあります。カリフォルニア・レーズンのCMのクリエイター、セス・ワーナーがそうでした。「僕が作ったCMには全部、ちょっとずつ僕が入っているとみんなが言うんだ。踊っているレーズンの中で、どれが僕かがわかると言う人もいた。歩き方や踊り方がそっくりらしい。少し変わったCMだから、ちょっとした不思議な個性が出るんだろうね。粘土でレーズンのフィギュアを作る造形アーティストたちも、自分たちの表情を鏡で見て、それを模写している。ハートから生まれる仕事をすれば、それは視聴者に伝わると僕は思う。心に届くんだ。説明は難しいけど、わずかなタッチが特別なものを生み出す」

映画監督で脚本家のロバート・ベントンはいろいろな知人を思い出し、『プレイス・イン・ザ・ハート』（一九八四年）のキャラクターたちを作りました。「親戚に脚本の話をしていたら、一人がバドおじさんのことを思い出したんだ。彼は僕の大叔父で、目が不自由。彼を元にしてウィルを創作した。とても賢いが、視覚を失ってから引きこもるようになり、ストーリーの中で人生を再発見する人物だ。知性と怒りを内面に抱える姿が描きたかった。僕の大叔父は聡明だったが、怒りは抱えていない。ウィルは他の人たちから取り残されていて、他の人よりも洗練されており、人一倍神経質。ウィルはストーリーにコントラストといろいろな質感を与える。小さな町の人々が善人ばかりでは困るから、ひとあじ違うキャラクターがほしかった。

マーガレットとヴァイオラは僕が知っている二、三人を寄せ集めて作った。高校で一緒だった人たちだ。僕のお気に入りのキャラクターはウェインだ。僕は一九三〇年代や四〇年代にアメリカ南西部でヒルビリーの音楽に親しんで育った。とても情熱的な音楽だよ。そんなふうに情熱的で、たくさんの問題を抱えている、小さな町には似合わないような人物を作りたかった。カントリー・ウェスタンの歌は『他人の城を荒らすな』といったテーマや陽気に騒ぐ曲調が主流だ。そしてまた、平凡さの中で激しい情熱を放つことでもあった」

脇役もディテールによって作られます。小さな役柄だとしても、鮮明に、シャープに描くこともできるのです。

悪者を作る

あとひとつ、見ておくべきキャラクターがいます。主要なキャラクターにも脇役にもなり得ます。それは、悪者です。

これまでの内容は悪者キャラクターの創作にも使えますが、独特の注意点がいくつかあります。

悪者とは主人公に敵対する邪悪なキャラクターを指します。悪者はたいてい主人公の「敵対者」ですが、敵対者の中には悪者ではない人物もいます。仮に、ハーバード大学を目指す主人公の成績が不十分だった場合、大学側の誰かが入学をストップさせて、敵対者の役割をするでしょう。でも、その人物は悪者ではありません。悪者の役割は常に悪を意味します。

昔の西部劇に出てくる悪人のように黒い帽子を被っていようと、ジェット機で飛び回って組織的な犯罪をしようと、彼らは「善人」を妨害し、人や社会を混乱に陥れます。

つまり、悪者が登場するストーリーとは善悪についてのストーリーです。主人公は善であり、悪者は善に対抗します。悪者は活発に活動し、盗み、殺し、裏切り、傷つけ、善とは逆の行動をします。いろいろな悪者たちを見ていると、どれも同じような気がしてくるでしょう。動機が粗末で単純な描き方をされている場合が多いのです。理由がきちんと説明されず、あたかも気分次第で悪いことをしているかのように見えます。

しかし、悪者を多面的に描くことも可能です。ストーリーのスタイルや、どの程度深く描きたいかによりますが、記憶に残るインパクトが出せるのです。『戦艦バウンティ』（一九六二年）のブライ艦長や『アマデウス』（一九八四年）のサリエリ、テレビドラマのミニシリーズ『ホロコースト』の悪者たちは後世まで記憶されることでしょう。

悪者を理解するために、まず、ストーリーで描かれる善悪の関係を見てみましょう。

精神科医M・スコット・ペックは著書『平気でうそをつく人たち――虚偽と邪悪の心理学』の中で「evil（悪）」を逆に綴ると「live（生）」となり、悪とは生に反することだと述べています。それを考えると、善のキャラクターは生を肯定する存在だと言えるでしょう。家族のために牧場や農場を守る（『シェーン』や『プレイス・イン・ザ・ハート』）、虐待を乗り越える（一九八六年放映『Nobody's Child（未）』や一九八四年放映『The Burning Bed（未）』）、自尊心を回復する（一九八五年公開『カラーパープル』）、自らの才能に気づく（『ベスト・キッド』や一九八三年公開『Heart Like a Wheel（未）』）他の人々に心を開く（『レインマン』）、異質な者に人間性を見出す（『Bill』や『E.T.』）、成長や変化を進める（一九七七年公開『愛と喝采の日々』）といったことを示すキャラクターです。

悪は善に対抗します。圧力をかけて押さえつけ、人を見下し、反抗し、人々の自由を奪います。それが殺人や暴力であれ、遠回しな形で虐げるのであれ、悪者がストーリーの中で担う役目は変わりません。それは、善とは反対の働きをすることです。

多面的な悪者を作るには、まず、行動の理由を尋ねましょう。自分の方が被害者だと思っているのか、自分で自分のために使命を果たそうとしているか。前者はリアクション、後者はアクションに、その悪者の性質が表れます。

悪者の行動は、自分が受けてきたネガティブな影響から生まれます。社会的な背景や個人的な事実などのバックストーリーを考えてみましょう。悪者が完全に悪いわけではないかもしれません。長所や複雑な心理を設定し、不安や不満、怒りや嫉妬などの感情表現でふくらませることも可能です。実際の犯罪事件でも、おとなしくて気弱な男がなぜ殺人を犯したかといった分析をする際に、犯人の「被害者」的な側面を探ります。家庭環境において貧困や虐待があり、人間関係が希薄な生き方を生んでしまっているケースが多く見られるからです。

そうした逆境への反応ではなく、自ら積極的に悪い行動をする悪者を描くなら、無意識から生まれる動機を考えてください。「自分が悪者だと思っている人はいない」とよく言われます。悪を自覚していないのです。たいていの悪者は自らの目的をよいものと信じ、自らの行動を正当化します。こうした人々の心には強い防衛機能があり、自分が無意識の力に動かされていることに気づきません。深層心理のシャドウがおもむくままに、自分の行動を正当化し続けます。

『ゴッドファーザー』のドン・コルレオーネには家族愛もあるでしょう。『ウォール街』のゴードン・ゲッコーは欲望のために行動することを自分で認めていますが、彼にとっての欲望とは野心や成功と同義語であり、肯定的な捉え方をしています。

悪者自身にとって善とは何か。大多数にとっての善をどう定義しているかを考えてみてください。それは安定か、それとも家族愛？　自らの、あるいは身近な人々の安全？　よりよい世界を目指すなら、それは自分たちだけに限定された世界を指しているかもしれません。動機にポジティブな面があっても行動はネガティブです。なぜなら、悪者は価値観を他者に押しつけるからです。結果的に強要や暴力になります。

それでも悪者は平気です。理屈で説明などせず、ただ無意識の力にまかせて行動します。彼らがもたらす暴力と抑圧は目立たないレベルでも効果があります。横暴さはさりげない形で表れる時もありますが、効力は変わりません。注意をしても否定するだけで、強迫的な行動や依存や虐待に走ります。「ちょっと子どもを叩いただけさ。ケガするほどじゃない」とか「軽く飲んだだけさ。酔って暴れるほどじゃない」とか「妻を愛しているんだ。妻が怯えるわけがないよ！」などと言ったりします。『The Burning Bed』や『Nobody's Child』の悪者も、まさにこうした感覚で、自覚もなくひどい行為をしています。

どんなタイプの悪者にも自分を美化する意識の歪みがあり、他人への理解や尊重がありません。彼らは人間性が理解できないのです。相手にも権利があることに考えが及びません。

エクササイズ

横暴な扱いを受けたことはありますか？　相手に何をされましたか？　遠回しに？　あるいは直接的に、

はっきりと？　相手は自分をどう正当化するでしょうか？　その人をモデルにした悪者を登場させて、ストーリーを創作できますか？

ケーススタディ――戯曲『カッコーの巣の上を』

戯曲『カッコーの巣の上を』は、ケン・キージー原作の小説をデール・ワッサーマンが舞台劇に翻案したものです。一九七五年の映画版では脚本家としてボー・ゴールドマンとローレンス・ホーベンの両名がクレジットされています。

舞台化に際し、ワッサーマンは脇役を作り直す必要性に迫られました。ワッサーマンの手が入り、それぞれのキャラクターの鮮やかな特徴とテーマ性、主人公マクマーフィとの関係が強く記憶に残るようになりました。

ワッサーマンは一人ひとりの人物をテーマと照らし合わせています。「ケン・キージーの原作小説は社会の中での反逆を扱っている。権威への反逆と、その報いの典型を描いているんだ。面白いことに、『ラ・マンチャの男』〔ワッサーマン作の戯曲〕とよく似ていて、ほとんど同じ劇であるかのように受け取れているよ。どちらの劇が描いているのも反逆者ではみだし者で、多数派に同調しない男。また、この男を標準化しようと圧力をかける社会を描いている。

この劇で問いかけたのは、右へならえで個人を無くそうとする社会のことだ。社会を守るために個人を押さえつける世相だね。異常者から社会を守る。それは社会の力を守ることであり、ルールに従わない人々は力を脅かす。

これを伝えるために、抑圧と、抑圧の被害者との関係を描こうとした。どの脇役も、ある意味で被害者だ。だから、一人ひとりをはっきりと描き分けるべきだと考えた。似たような被害者たちがまとめて強制収容所に入れられる話は面白くないからね。何かの表現にはなるだろうが、優れた人物描写とは言えない。だから、わけもわからず病院に入れられた群衆のようにならず、一人ひとりがはっきりとした個性をもつ人物になるように、かなりの努力をしたよ。

それぞれ、どんな被害者かも少しずつ異なっている。ネイティブ・アメリカンは米国の先住民族として被害に遭っている。同性愛の傾向がある患者〔ハーディング〕は社会に嘲笑され、侮蔑されており、自ら引きこもることを選んだ。吃音がある青年〔ビリー〕はモンスターのような母親の被害者だ。一日じゅう爆弾作りに励む男は米軍によって、社会に適応する能力を壊された。壁に張り付いている男は医療社会の被害者だ。おとなしくさせるために、脳の一部を切除するロボトミー手術を施された。看護師長ラチェッドは規律正しい社会によってモンスターにされてしまった」

人物像をふくらませるために、ワッサーマンは精神病院で十日間過ごしました。

「患者たちの知能や教育水準が知りたかった。言語能力もね。あとは、精神に異常をきたした場合に表れるパターンが知りたかった。驚くほど幅広いバリエーションがあったよ。まったく異常がないように見える患者も何人かいたが、それは薬を毎日服用しているからさ。彼らの行動は薬によって調整され、抑制されていた。

薬を飲む前と後の様子をよく見て、行動の全体像がわかった。服薬後は話す言葉や声がひどく単調になる。いわゆる機械的な話し方だね。服薬前はかなりワイルドだったことがわかる。興味深いパターンもあったよ。彼らには自分だけの、おかしな論理がある。美しい言語表現に感動したこともあった。普通ではなく、まとまりもなく、文法もおかしかったけど」

彼はキャラクターを面白くするために、理屈に合わない部分を探します。

「キャラクターが完璧に理屈通りにしゃべったり動いたりすると、つまらない。嘘になる。だから、理屈に合わないものを探すよ。一貫性に合わないものをね。そうすると、はっとするような面が生まれる。ここに残虐な性質の人物がいるとしたら、私は彼をよく見るんだ。すると、まったく意外な一面もあることがわかる。それが人物の本質を表す時もあるよ。

マクマーフィは乱暴者に見えるが、仲間にダンスを教える時に繊細な気遣いをしたりする。また、有名な詩の一節を口ずさんだりね。たまに間違うが、詩への愛が窺える。論理的に完璧だとつまらないんだ」

彼はキャラクターの隠れた面も分析します。「その人物が気づいていない潜在的な欲求を観客に示すように心がけている。これは、口で言っていることとは全然違う行動をする人たちに当てはまる。

ビリー・ビビットは母親に何をされたがわかっていない。人生をめちゃくちゃにされたのに、母親をかばう。ハーディングはわけもなく自分を責めている――性的嗜好は自分の罪ではないのに、だ。看護師長ラチェッドは不自然なほどに抑圧された女性で、軍隊を象徴するのにぴったり。抑圧のせいで男嫌いでもある。それでいて、やさしく上品な面もある。面白い矛盾だね。彼女の行動の理由は非常にいいが、その行動が凶悪であることは変わらない。

一つ驚いたことがあるよ。主役ではめったにないが、脇役たちは観客をはっとさせ、惹きつける。『カッコーの巣の上を』ではキャンディ・スターだ。まさか、精神病院に美人の娼婦が忍び込むなんてさ。女友だちを連れてくるのもびっくりだろう。一人ならまだしも、娼婦が二人。しかも、たいへん愉快な女性たちなんだ」

筆者は彼に、脇役の創作で困ったことはなかったかを尋ねました。

「満足できないのが一番つらいね。面白い脇役の話をストーリーの中で描き切る余裕はないから、中途半端に終わらせなくてはならない。観客がどう思うかはさておき、私自身は残念でたまらないよ。脇役たちがどうなったかを描きたくてたまらないのに。

また、キャラクターの特徴の表現を最小限にとどめなくてはならないこと。映画では特に、脇役が目立ち過ぎてはいけないから当然だ。わかっているけど、私は嫌だね。どのキャラクターも面白くて、じゅうぶんに描かれるのが理想なのだから」

クエスチョン

あなたの作品の脇役について、次の質問に答えてください。

- その脇役キャラクターはストーリーの中で何かの役割を担っているか？　その役割とは？
- その脇役キャラクターはストーリーのテーマをどのように発展させるか？
- 出番が少ないキャラクターはどうか？　キャラクターのタイプに当てはめて創作したなら、ステレオタイプに陥っていないか？
- 対照的な二人はいるか？　どのように対照的？　人柄や特徴を加えたか？
- 脇役やその他のキャラクターに、どんな設定を加えたか？　ストーリーやテーマとの関係は？　ただ変わった癖を与えただけに見えていないか？

- 悪者は登場するか？　悪者のバックストーリーは？　どんな無意識の力に駆り立てられているか？　彼らが悪い行動によって追求する、彼らなりの善とは何か？

まとめ

記憶に残る名作の陰には優れた脇役がいます。彼らはストーリーを前に進め、主人公の役割をはっきりとさせ、彩りや質感をもたらし、テーマを深く表現します。短いシーンやある瞬間に登場し、それまでになかった色彩やディテールを加えてくれます。

「リアリティの範疇で、脇役を適度に面白くしてもいい。ストーリーの大部分はエンターテインメントだ。広い意味だけでなく、人々が常に目をこらし、耳をそばだて、頭を働かせ続ける楽しみも意味している。ストーリーをいきいきとさせるのは、ちょっとしたディテールだ」と『危険な情事』の脚本家ジェームズ・ディアデンは言っています。

第7章

セリフを執筆する

「セリフの書き方は教えられない。耳で聞くしかない」とよく言われます。名セリフは名画や名曲と同様、習って書けるものではないでしょう。でも、よいセリフの書き方は習得が可能です。シーンとキャラクターから考える方法があるのです。また、ミュージシャンがメロディーやリズムを聞き取るように、言葉のリズムや会話のパターンを聞き取るのもよい方法です。

そもそも、よいセリフとは何でしょう——そして、悪いセリフとは？

- よいセリフは音楽に似ている。ビートやリズム、メロディーがある
- よいセリフは短く、まばら。二、三行以上しゃべり続けるキャラクターは稀
- よいセリフはテニスの打ち合いのよう。性的、身体的、政治的、社会的なパワーのやりとりがある
- よいセリフは葛藤と対立、態度、意図を伝える。キャラクターについて語るのではなく、キャラクターの何かを浮き彫りにする
- よいセリフは言いやすすく、リズムがよいので誰でも名優のように言える

セリフの名手の一人がジェームズ・L・ブルックスです。彼が脚本を手がけた『ブロードキャスト・ニュース』の会話シーンを挙げますので、声に出して読み、リズムを感じてみてください。どのセリフもキャラクターの何かを浮き彫りにしています。また、それぞれのキャラクターのセリフの違いにも注目してください。

アシスタントがジェーンに話している。

アシスタント　私生活を除けば、あなたは私の理想よ。

　ジェーンとトムの会話ではこう。

ジェーン　あの女性のインタビューの録画を見たわ。自分の表情を後で撮ったわね。ニュース番組なのに泣く「芝居」をして。報道にあるまじき行為だわ……。

トム　越えない方が難しいよ。その時によって変わるだろ。

　アーロンとジェーンの会話はこうです。

アーロン　ちょっとはわきまえろよ――今夜、デートなのはわかるけど。

ジェーン　デート？　同僚と会合に出るのよ。

ジェーンは紙袋からコンドームの小さな箱を出し、パーティー用のバッグにぽんと入れる。

　このシーンのセリフに含まれている要素を見てみましょう。アシスタントのセリフにはジェーンに対する態度が表れています。トムのセリフには感情（不満やいらだち）と、倫理の線引きがころころ変わる現場に対する葛藤。アーロンのセリフには葛藤と態度。ジェーンのセリフには、トムとアーロンの間で揺れ動く内面の葛藤が表れています。

この例から、優れたセリフには葛藤と対立、感情、態度が反映されていることがわかりました。もう一つ、大切な要素があります。それは、サブテキストです。

サブテキストとは何か

サブテキストとはキャラクターが本当に言わんとしている、行間の意味です。それをキャラクター自身が理解していないことが大半です。遠回しな表現をしたり、思っていることと違うことを言ったりします。サブテキストは潜在的なもので、人物自身ははっきりと意識していませんが、観客や読者には伝わります。

これを面白く活かしているのがウディ・アレン脚本の映画『アニー・ホール』です。アルビーとアニーは初対面で互いを品定めしながら、写真についての高尚な会話をします。二人が内心思っているサブテキストはスクリーンの字幕に流れていくのです。彼女は自分が彼と釣り合うぐらい賢いかを考え、彼は自分が陳腐に見えていないかと心配しています。また、彼女は彼が昔の彼氏たちのように馬鹿だったらどうしよう、と思い、彼は彼女の裸を想像しています。

『アニー・ホール』では人物たちが自分のサブテキストを理解していますが、一般的にはこうした心の声をキャラクター自身は意識していません。自分が言っていることの真意に気づいていないのです。

劇作家ロバート・アンダーソンの戯曲『I Never Sang for My Father（未）』〔1970年公開の映画『父の肖像』の原作〕の第一幕にはパワフルなサブテキストを感じさせるシーンがあります。息子が父親に食事をおごろうとする会話ですが、真の意味はかなり違います。互いの断絶や緊張感、父親の期待通りになれない息子の鬱屈した怒りがにじみ出ています。
サブテキストは俳優の解釈次第ですが、ここでは参考として、筆者が少し書き入れてみました。この場面には父親トムと息子ジーンの他に、母親マーガレットも登場しますが、父子のセリフだけを引用します。

ウェイトレスが飲み物の注文を取りに来る。

ウェイトレス　ドライマティーニを？
トム　（いたずらっぽく目を輝かせ）まいったな。六対一で。
（サブテキスト：ここまで辛口なマティーニを飲むなんて凄いだろう！）
ジーンはどうする……デュボネかい？
（サブテキスト：ジーンは俺と比べたらまだまだ子どもさ。だからマティーニは飲めないだろう。普通の食前酒がお似合いだ）
ジーン　僕もマティーニをください。
トム　六対一じゃないよな。
ジーン　いや、同じで！
（サブテキスト：僕を見くびらないでくれ！）
トム　よし！
（サブテキスト：生意気なやつだ！）

俺のおごりだぞ、いいな？
ジーン　いや、僕が誘ったんだ。
トム　いやいや、来るだけでも物入りだったろう。
（サブテキスト：俺は気前のいい親父だろう――しかも公平だ！　安月給のお前が電車賃など――その上、俺に食事をおごるなど無理だ！）
ジーン　いや、僕のおごりだ。好きなのを注文してよ。値段は気にしないで……食事に連れて行ったら、父さんはいつも値段を見るだろう。
（サブテキスト：僕に払わせてよ。食事を楽しんでよ。僕は払えるから）
トム　見てないぞ。だが、えらく高いな、ほら、海老カレーが三ドル七十五セントだと。
ジーン　海老がいいんなら海老にしろよ。
トム　俺が払うならな。
ジーン　だめだってば！
（サブテキスト：頼むから海老をご馳走させてくれよ！）
トム　気持ちは嬉しいが、ジーン、お前の給料じゃ……。
（サブテキスト：お前は俺ほど成功していないし、俺が期待するほども成功していない）
ジーン　大丈夫だってば。言い合うのはやめよう。

注文する前に怒りが高まり、トムはこう言います。「何も食べたくない。食欲がない」

悪いセリフとは

よいセリフには葛藤と対立、態度、感情とサブテキストがあることがわかりました。では、悪いセリフとは？

- 悪いセリフはぎこちなく、形式張っていて、言いにくい
- 悪いセリフでは、どの人物も似たような話し方になり、リアルに聞こえない
- 悪いセリフはサブテキストをそのまま言葉にする。内面が表れるというよりは、思考や感情そのものを言葉で表す
- 悪いセリフは人間の複雑さを表すというよりは、単純な表現をする

自分で書いたセリフがつまらないと気づいた場合、どう改善すればいいのでしょうか？

よくあるシーンを例に出しますので、見てみましょう。ある脚本家の作品がプロデューサーの目にとまり、会いたいと言われたので脚本家が面会に来る場面です。まず、ひどいセリフの例を挙げます（本書のために筆者が書きました。ご了承ください）。

プロデューサー　まあ、入って。お会いできて嬉しいです。私はあなたの脚本をとても気に入っています──あれは本当に、すごく、いいですね。

若い脚本家　ああ、ありがとうございます。あれは僕の初めての脚本で、あなたにどう思われるかとドキドキしています。僕はカンザス出身で、こんな都会に来たことがないんです。あなたのような人に会えるなんて、とても幸運です。ずっとあなたの作品を素晴らしいと思っていました。

プロデューサー　ああ、それは嬉しいですね。では、契約について話をしましょうか。

とてもひどいですね。堅苦しいし、面白くもなく――躍動感がありません。二人とも、考えや気持ちをそのまま言葉にしていますし、しゃべり方も似ています。

これを書き直すには、まず、単純に「あれは」「私は」「僕は」を削除するだけで全体の五パーセントは改善できます。「まあ」とか「ああ」とか「ですね」なども削除すれば、さらに会話らしくなります。しかし、セリフをよくするには、シーン自体を考え直す必要があります。

筆者は顧客の脚本家ダーラ・マークス〔テレビドラマ『A Different World（未）』の脚本や2020年公開の『Vores mand i Amerika（未）』のスクリプトコンサルタントを担当〕に協力を得て、書き直しをしました。彼女は力強いリズムにあふれたセリフを書くのが上手です。筆者がいつもコンサルティングでしているように、質問を投げかけて話し合い、彼女がリライトをする形で進めてみました。

まず、シーンをいろいろな角度から眺め、「彼らはどのような人たちか」という問いから始めました。脚本家はカンザス出身で、ロサンゼルスに来たのは初めてで、プロデューサーを尊敬しています。プロデューサーの人物像はわかりません。

一般的に、プロデューサーとはどのような人たちか？　五十歳ぐらいで葉巻を吹かし、契約で巨額のお金を動かしながら、若い人たちの才能を利用しようと狙っている、というのはステレオタイプ的な見方です。確かにそういう一面もある、とマークスも筆者も同意しましたが、多くのプロデューサーとはずいぶん違っています。いつも気楽そうにしている人、毎日午後にテニスをする人、神経質な人、偉そうな人、映画のことは何でも知っている人などがいます。

次に、舞台設定について話し合いました。プロデューサーと会う場所は――オフィス、レストラン、出張先のホテルのスイートルーム、自宅、パーティー会場、ラケットボールのコートなどでもいいでしょう。筆者もマークスも船の上で打ち合わせをした経験があるので、それを採用しました。プロデューサーは男性で五十代前半。業界で成功しており、広々とした大型ヨットのデッキのメインサロンで仕事をしている設定にしました。

変わった場所［なおかつ、ハリウッドならあり得る設定］を選ぶと、シーンがありきたりにならずに済みます。しかも、キャラクターの面白さやリアルさが表現できます。

次に、態度の面を考えました。シーンの冒頭でプロデューサーは昼寝をしており、若い脚本家は熱心な姿勢で、かつ高揚した気分であると設定しました。

筆者たちがシーンを書き直すと、次のようになりました。

屋内　ヨット　日中

デスクに置かれた鉛筆が、係留中のヨットの揺れで、カタ、カタと動いている。デスクの上に乗せた足。のんびりと昼寝をしているプロデューサーである。赤ん坊のようにすやすや眠る。彼の胸の上には読みかけの脚本。

若い脚本家が船室のドアの前に現れる。軽くよろめき、水上のヨットに慣れない様子（船自体に乗るのが初めてのようだ）。おずおずと見回し、昼寝中のプロデューサーに気づく。脚本家はまごつく。

若い脚本家　（咳払い）コホン。

プロデューサーは動かない。

若い脚本家　（さらに大きく）コホン。

プロデューサーはのんびりと片目を開け、腕時計を見る。

プロデューサー　遅いぞ。
若い脚本家　すみません。バスが……。
プロデューサー　（身を起こし）バスで来たのか……？
若い脚本家　（もじもじして）ああ、はい……。
プロデューサー　バスで来たやつは初めてだ。（メモを書く）俺も乗ってみよう。

プロデューサーは葉巻に火をつける。若い脚本家は船酔いがひどくなりそうだ。

プロデューサー　で、きみ、なんの用？
若い脚本家　（驚き）脚本の件です。来てくれって。
プロデューサー　俺が？

若い脚本家はうなずく。

プロデューサー　なんて脚本？
若い脚本家　『みんな駆けてくる』です。

プロデューサーはデスクを引っかき回して探す。

プロデューサー　どこかな、駆けてくる……ハケてくる……。

若い脚本家は自分の脚本を見つけて指をさす。

若い脚本家　それです。
プロデューサー　ああ、うん、走るやつか……ランニングは今年はだめだ。ホッケーがあるから。
若い脚本家　ランニングじゃないです、ディンクルマイヤーさん。カンザスの話です、僕の田舎の。
プロデューサー　カンザス？　素朴な田舎だな。（ちょっと考える）新しいトレンドになるか。いいね！

よし、ちょっと話そう！

このバージョンではプロデューサーの態度がシーンをリードしています。新しいこと（自分もバスに乗ってみる）やカンザス（素朴で田舎っぽい）や業界の動向への態度（流行の先読みができる）などを見せています。

セリフに少しリズムが生まれ、舞台設定も俳優や監督に役立ちそうです。プロデューサーの気持ちや態度も読み取れます。しかし、若い脚本家の方の感情が見えません。

そこで、彼のバックストーリーを考えました。この若い脚本家は脚本を売り込むためにロサンゼルスに来て、丸一年が過ぎようとしていました。この日でちょうど一年が経ち、すべてをやり尽くしたような気持ちでいます。怒りや不満もあり、これまでの状況に失望もしています。

プロデューサーが態度でシーンをリードしていたので、若い脚本家は葛藤と対立、感情でシーンを進めさせてみることにしました。

前の稿でよいと思った部分は残しつつ、若い脚本家の側からシーンを眺め、次のように書き直しました。

屋内　ヨット　日中

ドアを覗き込む若い脚本家。眠りこけるプロデューサーを見て呆れる。

若い脚本家　（咳払い）コホン。

プロデューサーは動かない。

若い脚本家　（非常に大きく）コホン。

プロデューサーは驚いて目を覚ます。居眠りを見られた。恥ずかしい。

プロデューサー　（ゴソゴソと姿勢を正し）遅かったな！

若い脚本家　（驚き）朝九時からここにいました。

プロデューサー　俺は忙しくてね（デスクの周囲にある書類をガサガサする）で、何？

若い脚本家　六時間後にウィチタ行きのバスに乗ります。

プロデューサー　バスに乗る？

若い脚本家　変ですか？

プロデューサー　いや、聞いたことがないから。

若い脚本家　僕らのような人間があなたの映画を観るんです。一度乗ってみられたら。

プロデューサー　その態度はどうかと思うね。

若い脚本家　（激怒する）喧嘩を売ってるんじゃありません！　脚本を売りに来たんです、あなたが買わないなら田舎に帰ります。

プロデューサー　田舎？　どの脚本だ。

若い脚本家　（憤慨して）会いたいって言ってた脚本。

プロデューサー　俺が？　なんて脚本？
若い脚本家　『みんな駆けてくる』。

　プロデューサーはデスクを探し回る。

プロデューサー　ランニングの話もディスコの話もボツにしたぞ！
若い脚本家　ランニングじゃないんですよ。カンザスで土地を失くした農家の苦悩の物語です。
プロデューサー　土地？　土地の話なんか。
若い脚本家　（呆れて両手を上げ）だめだ！　僕、帰ります……。
プロデューサー　待て！（考えながら独り言）土地……大地……いいね。新しいトレンドになるか。よし……それでいこう……。

　脚本家は驚く。立ち止まり、振り返る。

若い脚本家　（胸を躍らせ）本当ですか？
プロデューサー　ああ……だがタイトルは変えなきゃな！

　これで両方のキャラクターに、態度や葛藤と対立、バックストーリーや意図を同等なかたちで持ち込めました。キャラクターがパワフルになればセリフにも勢いが生まれます。

さらに書き直す場合はいくつかの方向性が考えられます。

怒りの感情や対立がやや激し過ぎると感じるなら、一人だけを感情的にしておいて、もう一人は抑え気味にしてみましょう。若い脚本家が怒ってもプロデューサーは挑発されない、といったように。

仕草や動作を加えたい場合は行動のディテールを考えてください。あなたが実際に体験した風変わりな面接や打ち合わせを思い出してみましょう。会話の他に、どんなことがありましたか？

筆者が会ったことがあるエグゼクティブの一人は、ミッキーマウスのぬいぐるみを五十個ほど机に並べて置いていました。これをシーンに使うなら「ぬいぐるみの埃を払う」といった動作を加えることができます。

ダーツをしながら打ち合わせをする人や、筆者の様子を窺いながらずっと電話ばかりしている人もいました。

別の部屋で何かが起きている設定も効果的です。たとえば、プロデューサーの奥さんがヨットの甲板上で大きな彫刻を制作中だとすれば、工具の音がするでしょう。若い脚本家に不安か好奇心のような心情や、会話に集中しづらい態度などを加えることができます。

これ見よがしな動きは避けて、サブテキストがさりげなく伝わる仕草を考えてください。

シーンの雰囲気で操作することも可能です。部屋は寒いか、暖かいか。暗いか、明るいか。誰かがタバコを吸っているか。変な臭いがするか。どんな家具が置いてあるか。どの椅子の上にも本や脚本が置かれていて、座れないか。

また、人種や性別、年齢、キャラクターの体重などの設定を変更してもセリフが変わります。筆者が仕事でお会いした人の中で、プロデューサーではありませんが、体重が百八十キロほどの男性がいました。

彼は特大サイズの椅子に座り、けっして動きませんでした。筆者は驚き、気まずくなってしゃべり過ぎてしまいました。

何を期待するかでもセリフは変化します。プロデューサーが五十歳ぐらいだろうと思っていたのに、会ってみたら二十五歳だったとしたら、驚きなどがセリフに表れるでしょう。首をギプスで固定している、眼帯をしている、瞼が痙攣している、顎のニキビを気にしているといった状態もセリフに影響を与えます。使う語彙もセリフを変えます。訛りがあったり、相手が知らないような難しい言葉や自分にしかわからない言葉を使ったりすると、キャラクターどうしのやりとりは変わるでしょう。

シーンの文脈も考えてみましょう。たとえば、プロデューサーが離婚間近だったり、若い脚本家が親友のお葬式に出席した直後といった前後の状況も、シーンの演出に影響を与えます。あるいはシーン本体の冒頭に、たとえば愛人と会っていた、長年一緒に組んできた関係を解消した、プロデューサーは他の脚本家を雇ったところだが、約束通りに会うだけ会おうと決めた、など、いろいろな始まり方が考えられます。

新人脚本家がプロデューサーを訪ねるシーンは、過去の作品にも多く見られます。中でもモス・ハートの自伝『Act One（未）』はとても変わった状況設定です。

シーンはニューヨークで展開します。新人脚本家モス・ハートの戯曲が有名な演劇プロデューサーであるジェド・ハリスの目にとまり、ハートは会いに来るよう言われます。以下に引用しますので、簡潔なセリフに注目してください。人物の動きや態度と合わせると、多くが伝わります。

屋内　マディソンホテル　日中

正午。モス・ハートは高揚した面持ちで、コンシェルジュ・デスクの前にいる。

モス　ジェド・ハリスさんに面会を。モス・ハートです。
コンシェルジュ　スイートルーム一二〇一号室へどうぞ。ハリスさんがお待ちです。
モス　（微笑んで）ありがとう。

カット
屋内　マディソンホテル　十二階　日中
エレベーターから降りるモス。心を踊らせ、廊下を歩く。スイートルーム一二〇一号室のドアを静かにノックする。半開きのドア。返事はない。モスは再びノックをし、呼び鈴を押す。

声　（かすかに、遠くから）どうぞ、どうぞ。

カット
屋内　スイートルーム一二〇一号室　日中
おずおずと入室するモス。入り口の空間を通ってリビングルームへ。室内は完璧に整っており、無人かと思うほど。タバコの吸殻も新聞もない。本当に、この部屋なのか？

モス　（小声で）すみません……ジェド・ハリスさんを。モス・ハートです。
声　はい。どうぞ。

モスはためらいながら、声がする方へ向かう。リビングルームからベッドルームへ。

カット
屋内　ベッドルーム　日中
ツインのベッドの一台は使われた形跡があり、カバーが乱れている。もう一台のベッドには脚本が山のように置かれている。二つの灰皿は半分吸った吸殻でいっぱい。窓のブラインドは下ろされ、室内は半分薄暗い。モスは困惑しきって、部屋を間違えていないかと怯える。

モス　失礼します。
声　（ベッドルームの方から）どうぞ、どうぞ。

モスはベッドルームへと二、三歩進む。恐怖でこわばる表情。

カット
ジェド・ハリスの後ろ姿。洗面台の前に立ち、髭を剃っている。彼は裸である。

ジェド・ハリス　（くだけた感じで）おはよう。もっと前に会えなくて本当にごめん。
モス　（震え、当惑しきって）いえ……そんな。

モスは目のやり場に困り、あたりを見回す。

ジェド・ハリス　君の脚本を早く読みたかったが、今シーズンはご存知の通り……。

モス　（事情を察して）ああ、はい。はい。

ジェド・ハリス　夕べはラント夫妻のパーティーで……みんなが夫妻にご執心のようだ。だが、僕が思うに、ラントは一人でいいよ。

モスは乾いた笑いを発するが、すぐに止める。ジェド・ハリスはタオルで顔を拭く。

ジェド・ハリス　パーティーに行ったのは、あるイタリア女優がいたからさ。ずいぶんと噂を聞くから、どうなのかなと思ってね。

タオルが洗面台から落ちる。モスは拾うべきか迷う。じっとタオルを見て、やめておく。ジェド・ハリスは話し続け、モスにウインク。モスは上の空で、ジェド・ハリスの話を聞くのがやっと。

ジェド・ハリス　噂どころか、それ以上だったぜ。

彼はモスに向かって得意げに笑う。モスも笑おうとするが、顔が引きつるだけ。

いろいろな面が簡潔に書かれていますが、セリフやちょっとした動きで多くが伝わります。ハートの期待や驚き、困惑などの態度や、部屋に入るかどうか、タオルを拾うかどうか、話すかどうかの葛藤が表れています。

ハリスはあっけらかんと、イタリア女優との戯れについて話しています。ハートの自伝を脚色した筆者の顧客トレヴァ・シルヴァーマンいわく、「モス・ハートが回顧するのは一九五〇年代で、時代の感覚が今とは違う。ジェド・ハリスが裸だと同性愛の誘いと誤解されてしまうから、その危険性を完全に消したかったんだ」

モス・ハートの原作戯曲でもジェド・ハリスの裸やハートの羞恥心などを含め、設定や状況は同じですが、焦点は異なります。ハートは作者として、次のように振り返っています。

ジェド・ハリスは間違いなく、演劇界で随一の話し上手だ。（中略）僕はドギマギしながらも、こんなすごい論客は初めてだと思った。彼が服を着る頃には僕も落ち着いて、彼の話がじっくりと聞けるようになった。僕の『Once In A Lifetime（未）』への批評は核心をついていて、長所も短所もすばやく見抜いてくれていた。彼は風刺劇全般の劇作にも造詣が深い。話題は『Once In A Lifetime』からチェーホフに飛び、彼が悩んでいた『ワーニャ伯父さん』の公演のことや仲間のプロデューサーへの痛烈な批判、本にする紙がもったいないほど酷いアメリカの劇作家の例を経て、また『Once In A Lifetime』の話に戻るという——彼の華麗で機知に富む言葉は僕をめくるめく気分にさせた。[*1]

この段落を脚本のセリフにすると、かなり長くなりそうです。シルヴァーマンは「これを書き換えるにあたって、観客がそっぽを向きそうな難解な情報も必要だった」と言っています。

筆者はこの作品のコンサルタントでした。映画の中心はハートの自伝とジョージ・カウフマンだったため、ここに挙げたジェド・ハリスのシーンはカットすることに決めました。しかしながら、感情が伝わる静かな魅力があり、筆者にとってはお気に入りです（同作は実際の制作には至らなかったもよう）。

セリフにアプローチするテクニック

よいセリフの音やリズムや彩りを好む書き手はたくさんいます。

劇作家ロバート・アンダーソンもそうでした。「大学生の兄がノエル・カワードの戯曲を家で読む声がすごく素敵だと思ったんだ。あの本は何だと母に尋ねると、母は劇だと言った。それ以来、僕は演劇が大好き。小説も会話文のところが好きで、途中を飛ばして会話文だけ読んだりしたよ。読み方としては間違っていたけれどね。物語の筋は地の文で進む。会話文ではない。

セリフが好きでなければ、そもそも劇なんて書かないだろう。劇作家に必要な才能はドラマ的なシチュエーションを考えることと、ドラマ的なセリフを書くことだ」

セリフを書くための準備はいろいろありますが、ストーリーの本体ができないことには、セリフに取りかかれません。

ロバート・アンダーソンの言葉を続けましょう。「僕はストーリーのダイナミクスや構成、登場人物とその行動、サブテキスト、各シーンでの出来事や進展などを考える。その劇で何を伝えようとするのかも、何ヶ月も考えるよ。僕はこれを『釣り』と呼んでいる。毎朝机の前に座ってアイデアを池に投げ入れるようにして、メモをとる。そのメモは二度と読まない。そして、次の日に同じ釣り針を投げ入れて、何が釣れるか見てみる。しばらくすると何かが形を現す。すると、人物がどこにいて、どこへ行き、何をするかが見えてくる。それを全部しまっておいて、二、三週間かけて初稿を書く。集中し切って、読み返さずに一気に書き終えるんだ。型にはまっていながら奔放に書く、という組み合わせだね。

メモ作りに六ヶ月か七ヶ月、あるいは必要なだけ費やして、構成を考える。登場人物のことはよくわかっているから、シーンの目的に合うなら何をしゃべっても大丈夫。そういえば、友人の劇作家シドニー・キングスレイとの会話を覚えているよ。彼が劇を書いていると言うから、調子はどうだと聞いたら、こう言ったんだ。『ほとんど終わりだ。明日からセリフを書き始める』。セリフはすべてをきちんと並べた後で書くものなんだよ」

劇作家のデール・ワッサーマンは各シーンの内容と意図をまず分析します。「私はセリフを一番最後に書くよ。ストーリーがどう進み、何を議論し、それぞれのシーンが何を意図しているかをつかんでからだ。その時には、セリフで何をどう言うかはほぼ必然になっている。どういうニュアンスやスタイルかまではわからないから大変だがね。ふさわしいスタイルで簡潔に書くのはとても難しい」

いろいろな場でリアルな人の会話に耳を傾け、感性を磨く人もたくさんいます。

劇作家のジョン・ミリントン・シングは洗い場のメイドの会話を聞いてセリフの感覚を磨いたそうです。作家のロビン・クックは飛行機の乗客たちの会話に耳を傾けます。また、公園でバスケットボールをしながら、若者が互いをからかい合う時の言葉づかいを聞きます。

監督で脚本家のロバート・ベントンはセリフを録音してリズムをつかみます。『『プレイス・イン・ザ・ハート』のとある登場人物は僕の友人が元になっている。彼女と二日間、ただ一緒に雑談をしてもらい、しゃべり声を録音した」

ただし、本物のおしゃべりをそのままセリフに書くわけではありません。リアルな会話を聞くのはセンスを磨くためのステップです。改めて、リアルな話し言葉をフィションのセリフに変換することが必要です。

「人の話し言葉をそのまま使うことはないよ」とロバート・アンダーソンは語ります。「しゃべっている人の音声を後で聞いてもわけがわからないよ。セリフは全部、日常会話に近い形にスタイル化されたものなんだ。人はそれを聞きながら、本物と作り物とのキャップを埋める。ずっと前に僕がラジオ番組『The Theatre Guild on the Air』のために、ハンフリー・ボガート出演の『武器よさらば』〈原作はアーネスト・ヘミングウェイの長編小説〉の脚色をした。その時にわかったのは、あの有名なヘミングウェイの小説に出てくる会話文はセリフとしてはほとんど使えないということだ。ストーリーを前に進めたり、人間関係を発展させたりはしない。番組の放送後に批評家が『ヘミングウェイの会話文が物語を進めている』と言っていたよ。ヘミングウェイのようにセリフが書けたと思うと嬉しかった。（中略）ストーリーが展開できるようなセリフをね」

ロビン・クックはこう言います。「セリフを書いたら必ず声に出して読みます。類似性を探しながら。二人がちゃんと会話しているように書きたいのです。読んでいて、会話文がリアルに感じられない時はすぐにわかりますからね。本当に優れたセリフは、そこに専門用語があるのにそれを意識させないのでびっくりしますよ」

南カリフォルニア大学で講師の経験を持つ、作家のシェリー・ローエンコフは「小説の中の会話文は話し言葉の表現をしているのではなく、人物の態度を表しているのです。何を言わんとしているかで、誰の言葉かわかるはず。人物の隠れた部分がにじみ出るように、です。人物が秘めておきたいことを知っておくと、うまく書けますよ」と言っています。

小説家レオナルド・ターニーはこう付け加えます。「リアリティのあるセリフはリアルな話し言葉ではなく、技巧によって作るもの。特徴を与え、凝縮して書き、リアリティを感じさせる言葉にします」

トレヴァ・シルヴァーマンは自分の語りを録音して翌日に聴くそうです。「内容の九十パーセントを忘れた頃に聞くと、初めて聞く言葉のように感じる。そうしてキャラクターの言葉の雰囲気を探るんだ。それがつかめたら落ち着くけれど、そこに至るまでが大変。レコーダーがあれば簡単だし、気が楽だね。白紙のページとにらめっこしないで済む」

ロバート・アンダーソンはこう言います。「最初にセリフから書き始める人が多いね。劇作家のニール・サイモンはそうすると言っていた。キャラクターを作ったら、書きながらストーリーを作っていく。僕も若い頃に何度もそうしようとして（僕はもともとストーリーよりセリフが好きだったから）、四十ページ目あたりで挫折したことが何度もあった。行き止まりだ。何も見つけられていなかった。セリフを書きながら、自分のことやいろいろなものを発見したけど、ストーリーは発見できなかったんだ。エンディングを決めないとね。

状況設定がまずいとセリフはうまく流れない。とりたてて面白い状況でもない限り、シーンは進展しないよ。

劇作家ジョン・ヴァン・ドゥルーテンは、キャラクターの名前を変えるまでセリフがちゃんと書けなかったと言っている。僕も同じことをたまに言うよ。ローラの話し方はヘーゼルとは違うし——ぴったりの名前を付けないと、うまくいかない。

昔は生徒にセリフを書く練習をさせていたよ。あるエクササイズでは、外で拾った十ドル札をどうするかをキッチンで議論する場面のセリフを書く。誰が、どう使うか、という内容だ。セリフのサブテキストには家族のテンション が表れる。

僕の一幕劇『You Know I Can't Hear You When the Water's Running（未）』には中年の二人がツインベッドを買うか古いダブルベッドを使い続けるかで話し合う場面がある。ベッドについての口論から二人の結婚観が浮かび上がるんだ。生き方や愛、中年世代の思いがサブテキストになっているよ」

漫画家のジュールズ・ファイファーはイェール大学演劇学科で、次のように伝えて指導していたそうです。「自己満足やうぬぼれを取り払い、シーンの要点をはっきりと決め、他のものは削ぎ落す。若い書き手は特に、うまい文章を書こうとする。そうした虚栄心を捨ててほしい」

よいセリフを書くには、まずリズムとニュアンスに耳を傾けることでしょう。

「その人物の本質を表す声が一番大事だね。セリフだけでなく、態度も含めてだ。その声が確立できたら、ぴったりのセリフが自然と出てくるはずだよ」とロバート・アンダーソンは言っています。

▼ケーススタディ——ジュールズ・ファイファー

ジュールズ・ファイファーは米国では週刊誌の連載漫画でおなじみのクリエイターです。後に舞台化された、彼の脚本による映画『愛の狩人』（一九七一年）はその優れたセリフが取り上げられることもしばしばです。彼はまた、映画『ポパイ』（一九八〇年）や『殺人狂想曲』（一九七一年）の脚本や戯曲『Elliot Loves（未）』を書きました。セリフについての彼の言葉はどんなフィクションの形態にも当てはまります。特に、漫画のキャラクターについての洞察は広告の分野にもぴったりでしょう。

媒体によってセリフを書き分けることについて、次のインタビューをお読みください。

「私は漫画から舞台、映画に携わらせてもらいましたが、セリフの書き方はずいぶん変わりますね。舞台と映画で人間関係を描く時は、始まりと真ん中と終わりが必要です。ただ終わるだけじゃだめ。それは漫画でも同じです。漫画のキャラクターが言うことはとても省略されていて、短い。スペースが限られていますからね。でも、舞台ではニュアンスを伝える余裕があるから、遠回しな表現もできます。舞台のセリフは映画よりもたっぷりと説明できて——エゴを満足させやすい。映画は非言語のコミュニケーション。つまり、視線の交わし合いや身体の動きなどで多くが表現できます」

筆者はセリフを作る過程を尋ねてみました。

「セリフを考えることはしません。創作したキャラクターを、ある状況に登場させれば自然に出てきますから。二人以上の人物をシチュエーションに登場させて、彼らの人物像がわかっていれば、勝手に何かを言い始めますよ。あとは次々と、観客と一緒に発見していくだけ。キャラクターが言い合う言葉にはしょっちゅう驚かされます。彼らを自由に歩かせてみると、とても楽しくなる。作り手がアウトライン通りにしようとすれば、面白さや躍動感は生まれません。キャラクターどうしの言い合いが作品にエネルギーを与えてくれるのです。関係性にとってエネルギーは大切ですよ。受け身的なシチュエーションでも、リアルなエネルギーを感じさせることが必要ですからね。

それはサブテキストから生まれます。水面下で起きている葛藤や対立ですね。だから、唯一のリアルな葛藤と対立はキャラクター対自分自身かもしれません。サブテキスト作りは心の声をメモに書くことではないんです。起きていることを完璧に理解して、起きていないことは何で、それが起きていないのはなぜかを理解すること。そして、どれくらいの分量が表面に表れているか。それを水面下に隠しておいて、どこで表に出してクライマックスに持ち込むかが難しい。

サブテキストはいつか浮上するものですが、完全に表に出てしまったらだめだと思います。ある部分ははっきり表現させるとしても、秘めているものをすべて晒すのはね。観客に考えてもらう部分も残しておかないと。私は観客も映画の登場人物の一人のようになって、積極的に参加してほしいと思っています。何もかもを正確に並べて見せて、観客を完全に受け身の状態にしてしまったら、舞台やスクリーンで起きていることと、座ってそれを見ている観客との間にエネルギーの交流が起こりません。私は自分が観客の時に、考えさせられたり、挑まれたりするのが好き。だから、自分の作品もそのようにしたいです。

漫画では、政治の風刺でなく個人的な世界を描く場合にサブテキストをよく使います。政治的な漫画なら核心を突く表現が多くなるでしょう。でも、たいていは皮肉を込めているから、やっぱりサブテキストが重要。少なくとも私の作品では、一般的な人とは距離のある立場の人物がしゃべります。人は公的な場でも私的な場でも、本音とは逆のことを言ったり、何か別なものを使って遠回しに言ったりするでしょう。私の作品は初めから、ずっとそれが中心です。ラベルをはがして核心を突くのです。

シーンがうまく進まない時は、最初に『やあ、元気かい。僕は元気だよ。今日は何をしているの？　別に。ちょっと困ったことがあってね……』と、他愛もない会話を何ページか書いてみます。そうでない時は、ど真ん中から書き始めて、前の部分に戻ります。何日も、何週間も書けない時もありましたよ。方向性が見つからなくて、六年間がかりで書いた戯曲もあるほどです。

思考の過程をつかみ、それを普段しゃべっている言葉で表現するまでは長い道のりです。それができたら、次の稿でまったく違う会話に書き直したり、キャラクターの個性を表す言葉に書き換えたりする。舞台劇も映画も、登場人物がみな同じように聞こえるものが多いです。私はキャラクターの名前を脚本に書く必要がなくなるぐらい、セリフを書き分けたいですね――セリフだけを読んで、誰がしゃべっているかが瞬時にわかるように。会話に表れる態度を聞き取る力が必要です。でも、それ以上に大切なのは、自分の心の声を聞くことですね」

クエスチョン

舞台劇ではセリフがたいへん重要ですが、ドラマや小説やショートストーリーなど、どんな形態のフィクションでも大切です。

あなたが創作したキャラクターについて、次の質問に答えてください。

- 話し方のリズムや語彙、訛りや文の長さはキャラクターの個性を反映しているか?
- セリフの中に葛藤と対立はあるか? キャラクターどうしの会話に対照的な態度は見られるか?
- セリフにサブテキストはあるか? キャラクターが本当に言わんとしていることが表現できているか?
- セリフに文化や人種的な背景が表れているか? 教育のレベルは? 年齢は?
- ページの中でキャラクターの名前を見ずにセリフだけを読んでも、誰が話しているかがわかるか? キ

〜キャラクターの違いはセリフに表れているか？〜

まとめ

クリエイターのトレーニングは途切れることがありません。セリフを書く技術の向上には、耳を傾けること、読むこと、そして、優れたセリフを音読して音とリズムを身体に染み込ませることが大切です。俳優が求めることを知るために、演技のレッスンに参加する脚本家もいます。

フィクションの執筆において、セリフは音楽のようなものであり、リズムであり、メロディーです。誰にでもセンスは磨けます。キャラクターの複雑な内面を感じさせるセリフを目指してください。

第8章

非現実的なキャラクターを作る

ここまでは現実的なキャラクターについて話してきました。私たちと同じような人物たちについてです。彼らには、私たちと同じ欠点や欲求や目標がありました。スーパーヒーローでもなく、人間未満の特徴や、あまりにも大きな欠点もありません。

しかし、フィクションでは非現実的なキャラクターも多く登場します。映画やテレビドラマではE.T.やミスター・エド〔テレビドラマ『ミスター・エド』に登場する言葉を話す馬〕、人魚や沼の怪物や殺人トマト〔一九七八年公開の『アタック・オブ・ザ・キラー・トマト』に登場〕、スーパーマンやバットマン、キングコング、バンビやダンボなど枚挙にいとまがありません。また、食品メーカーなどのイメージキャラクターにもジョリーグリーンジャイアントやカリフォルニア・レーズンといった空想の存在や擬人化されたキャラクターがいます。

この章では、こうした非現実的なキャラクターを「象徴的なキャラクター」「人間ではないキャラクター」「ファンタジーのキャラクター」「神話的なキャラクター」の四つのカテゴリーに分けて論じます。このカテゴリーはキャラクターの制限範囲や文脈、読者の連想や反応によって分類しています。

象徴的なキャラクター

現実的なキャラクターには多面性や一貫性と矛盾があり、複雑な心理や態度、感情、価値観をもっています。一人のキャラクターの性格や特徴を挙げれば、とても長いリストになるでしょう。

象徴的なキャラクターは一面的です。多面的ではありません。彼らの資質は一つであり、愛や叡智、慈悲や正義といった一つの理念に基づきます。神話やファンタジー、スーパーヒーロー物のコミックなど、空想世界の非現実的なストーリーで最もうまく機能します。

象徴的なキャラクターのルーツは古代ギリシャ時代や古代ローマ時代の悲劇にあります。神や女神はそれぞれ一つの性質を表す存在でした。アテナ／ミネルヴァは知恵の女神です。アフロディテ／ビーナスは愛の女神。ハデス／プルートは冥界の神。ポセイドン／ネプチューンは海の神。デュオニソス／バッカスは酒の神。アルテミス／ディアナは狩猟の女神といった具合です。

多面性はないものの、あまりに単純でつまらない存在というわけではありません。なぜなら、一つの性質は、それに関連する多くの性質を示唆するからです。

たとえば、戦争の神マルス（アレス）を見てみましょう。彼は父ゼウスと母ヘラに嫌悪されるほどの残忍さと暴力性をもち、「不和」と「闘争」、「恐怖」と「震撼」と「狂乱」を引き連れています。ローマ神話での彼は輝く甲冑に身を包み、兵士たちはマルスの戦場で死を覚悟すると「栄光の死に向けて突進」[*1]しました。

戦争に関するものはすべてマルスの文脈に見られます。いくさの音も軍服も、争いにまつわる特徴はすべて彼のキャラクターに含まれます。戦争でないものは彼の中にありません。現実的な世界では戦争の対極に平和が存在しますが、そのような両義的な価値はマルスにはありません。和気あいあいとすることもなく、曖昧さもなく、矛盾もないキャラクターなのです。

では、象徴的なキャラクターと現実的なキャラクターとをゲージの上に置いてみましょう。

一面的で象徴的なキャラクター

このゲージの上にマルスを置くとすれば、一番上の「一面的で象徴的なキャラクター」にぴたりと重なります。その対極の、現実的な「多面的なキャラクター」はたくさんいます——『カサブランカ』のリック、スカーレット、『シェーン』のシェーン、『アフリカの女王』のローズなどがそうです。マルスと先に名前を挙げた人物たちとを両極にして、以後、他の種類のキャラクターがゲージのどのあたりに当てはまるかを見ていきましょう。

一九七五年に映画化され、二〇〇四年にリメイク作が公開された小説『ステップフォードの妻たち』に登場するキャラクターは非の打ちどころのない妻であり、象徴的なキャラクターです。夫に尽くし、家事も育児も完璧にこなすことに関連する特徴だけに限定されており、それに合わないものは一つも設定に入っていません。本来ならばあるはずの不完全さは、この作品の妻たちの人格から除外されています。

ロバート・ボルトの戯曲『すべての季節の男』に登場する「普通の男」や、同じタイトルの中世の演劇に登場する「エブリマン」も人々の「普通」の側面のみを表しています。

多くのスーパーヒーローや悪者も象徴的なキャラクターです。『バットマン』のジョーカーは悪を象徴し、スーパーマンは「真実と正義とアメリカの生活」を表しています。

多面的なキャラクター

象徴的なキャラクターの創作では、ディテールをそれほど加えません。理念が表現できる分量のみにとどめます。

これらのキャラクターをゲージの上に置くとすれば、クラーク・ケントやブルース・ウェインはスーパーマンやバットマンより「多面的」寄りでしょう。しかし、リックやスカーレット、シェーン、ローズほどではありません。並べてみると、次のようになるでしょう。

一面的で象徴的なキャラクター				多面的なキャラクター
マルス	ステップフォードの妻たち	スーパーマン	クラーク・ケント	スカーレット
	普通の男	バットマン	ブルース・ウェイン	リック
	エブリマン	ジョーカー		シェーン
				ローズ

エクササイズ

「正義」のキャラクターを作りましょう。まず、正義を表す特徴をリストアップします。公平、中立、人種や性別で差別をしない、法的文書や法の精神を重んじる、などがあるでしょう。「正義」について二十から五十ほどの特徴を挙げてください。さらに、「正義」の両親のような存在を考えましょう。「法」を示す弁護士と「叡智」を示す哲学者などです。あなたが神や女神のキャラクターを作るなら、ここで出来上がりです。

　では、このキャラクターに多面性を加えてみましょう。矛盾しない特徴を追加します。一例として慈悲、叡智、洞察、交渉力などがあります。

「正義」について、象徴的なキャラクターと現実的なキャラクターとの違いを考えてみましょう。現実的なキャラクターも正義を重んじますが、矛盾や複雑な面を抱えているでしょう。

象徴的なキャラクターは、一つの明確な理念を伝えます。あなたのストーリーのテーマを表現するのに役立つでしょう。ただし、薄っぺらにならないよう、しっかりと、パワフルに描いてください。

人間ではないキャラクター

人間ではないキャラクターといえば童話やおとぎ話にたくさん出てきます。昔なつかしい作品として『黒馬物語』や『名犬ラッシー』、『シャーロットのおくりもの』の蜘蛛、小鹿のバンビや映画『ワイルド・ブラック／少年の黒い馬』（一九七九年）などがありました。児童向けの作品に限らず、ジョージ・オーウェルの小説『動物農場』やシェイクスピアの戯曲『テンペスト』の怪獣キャリバンなど大人向けの作品にも登場します。

「人間ではないキャラクター」の中には、単に人間が動物のように吠えたり噛んだり、尻尾を付けたりしただけのキャラクターもおり、捉え方としては人間のような動物だと言えます。『動物農場』のキャラクターたちは人間のように多面的ではありませんが、人間を想起させるように描かれています。豚の皮を被った人間のようなものです。

人間ではないキャラクターの創作では、まず、その動物がもつ人間的な側面を強調することから始めます。名犬ラッシーは忠実で優しい。ジャーマンシェパードのリン・チン・チン〔さまざまなハリウッド映画に出演したスター犬〕は賢い。『動物農場』に登場する豚のナポレオンは他者を操り、暴君のようにふるまう。しかし、これらの性質には、それ以上の表現ができません。ストーリーの中で賢い犬や優しい馬をずっと見ているだけでは、いつか飽きてきます。作品に登場させるなら、別のアプローチが必要です。

キャラクターが人間ならば、いろいろな性質を与えて強調することによって多面的にできます。しかし、人間ではないキャラクターの人間的ではない性質を強調しても、めったに効果は出ません。犬の特徴（たとえば吠える、餌を見ると走ってくる）をいくら強調しても、犬がさらに魅力的になるわけではないのです。

そこで、次のような手順で人格を作ることが必要になります。

1. キャラクターの人格を表す特徴を一つか二つ、慎重に選ぶ
2. その特徴から連想するものを強調して人格を発展させる
3. しっかりした文脈を作ってキャラクターに深みを与える

人間ではないキャラクターははっきりしています。それに比べると、現実的なキャラクターはカテゴリー分けが難しいものです。誠実な性格でも、危機的な状況では誠実さが揺らぐかもしれません。楽天的な性格でも、悲惨な状況下では考え方が変わる可能性があります。

しかし、人間ではないキャラクターの特徴は変わりません。人間らしい特徴が元になっていても、人間のキャラクターのような変化やバラエティはありません。名犬ラッシーはいつも誠実で、リン・チン・チンはいつも賢いのです。

一九八九年からアメリカで放映されたテレビドラマ『名犬ラッシー』のプロデューサー、アル・バートンは「人間にはめったに見られない一貫性がラッシーにはある。家族を守り、忠実で、信頼できて、勇気があり、子どもたちを安心させる存在だ」と語っています。

この特徴だけでは、キャラクターのバラエティや面白さが足りません。視聴者に何かを連想させる必要があります。では、連想とは？　自動車や野菜やビールなどの製品をキャラクター化する広告業界の手法を見てみましょう。

広告代理店ジェイ・ウォルター・トンプソンの重役を務めた経験をもつマイケル・ギルはこう述べています。「いろいろなビールや洗剤の違いがわかる消費者はあまりいない。ペプシとコークの違いもわからないほどだ。ブランドに人格のような個性を与え、はっきりと打ち出すのが広告の仕事。牛に焼きごてを押すようなものだ――その烙印を見た瞬間に認識できる。そうやって牛を判別するわけだからね。メルセデスはエンジニアリングが優れた車で、フォードは品質が優れた車。トラックの中でもパワーやタフさが売りのものがある。車でもパソコンでも、人間ではないキャラクターが何らかの特徴を表している。車と何かのクオリティを結びつけて連想させ、全体的な評価を上げてハロー効果〔ある顕著な特徴に引きずられて他の特徴の評価が歪む認知バイアス〕を出す」

ハロー効果は消費者の購買意欲を促すとされています。これを人間ではないキャラクターの創作に当てはめれば、視聴者がキャラクターの人格や個性を認識しやすくなるでしょう。

広告でのキャラクター化は製品の特性分析から始まります。製菓材料メーカーのピルズベリー社の「ドゥボーイ」はドーナツの種がこねられて膨らむ様子を連想させます。ケロッグ社の「スナップ」と「クラックル」と「ポップ」はシリアルが弾ける音を連想させる名前です。バドワイザーのブルテリア犬、スパッズ・マッケンジーは親しみを感じさせ、元気で楽しいパーティーを連想させるキャラクターとして人気を博しました。

連想を付け加えてアイデンティティを作る場合もあります。カリフォルニア・レーズンの広告で踊るレーズンは、製品の特徴とはほとんど関係がありません。干しぶどうの皺も小ささも、健康面での効果も強調されていないのです。クリエイターのセス・ワーナーは次のように説明しています。

「クライアントは『ただのレーズンを見せるより大きく見せたいから、有名人を起用したい。そうすればパーソナリティも出せるし、製品だけより大きく見える』と言ったので、僕らはレーズンを有名人に仕立て上げようと考えた。（パートナーのデクター・フェドールと考えた）最初のアイデアは、ヒット曲『悲しいうわさ』に合わせて踊るレーズンたちだ。かっこよくて、ちょっといかつい外見がいいね、と話し合った。対照的に、他のスナック菓子はかっこよさを抑えることにして、レーズンと他のキャラクターたちとの関係を作り始めた――しなびたポテトチップスやべちょべちょのキャンディ、靴の底にくっついて離れないガムとか。レーズンはサングラスをかけ、靴紐をゆるめたハイトップのスニーカーでかっこよく見せ、プレッツェルにはウィングチップの靴、キャンディにはデザートブーツを履かせた――レーズンよりちょっと古臭く見えるようにね。

キャラクターのリアリズムを信じてもらえることを目指した。リアリティとつながっていなければ信じてもらえない。大きな特徴だけでなく、かすかなタッチにもこだわったよ」

こうしてすべてのキャラクターが、連想を経て人格を得ました。私たちは何らかのフィーリングをキャラクターに重ね、キャラクターは私たちのフィーリングを示します。このような連想は、キャラクターの文脈をはっきりさせれば強化できます。

『名犬ラッシー』の文脈は「家族」です。ラッシーは人間関係の中で存在しています。番組の共同プロデューサーであるスティーブ・スタークはこう言っています。「犬は家族の一員です。ラッシーは家族にとっても、息子にとっても親友です。新しい『名犬ラッシー』は子ども向けの番組ではなくファミリードラマ（本原作は、一九五四年に放送を開始した作品をはじめ何度もテレビドラマ化されている）。ラッシーは家族の一員として、どちらかが病気になれば看病し合う――本物の家族のようにね。リン・チン・チンは救助犬でしたが、ラッシーは心が許せる友なんです」

プロデューサーのアル・バートンはこう述べています。「旧シリーズから家族という文脈を引き継いで、さらに強く打ち出しました。ラッシーと仲良くなる女の子を一人、追加しています。彼女が必要だということをラッシーは知っていて、それが家族にとっても価値になるのです。『ラッシーがいてよかった』と視聴者が感じなければ、感動は生まれません。ラッシーはリン・チン・チンよりはるかに感受性が豊か。家族の心を自然に感じ取っているように見えます。

ラッシーは素晴らしい仲間であり友です。つながりが荒れている、今という時代――僕自身は、特に人と人とのつながりが荒れていると感じています――すたれてしまった、静かな関係を思い出させてくれる犬がいるのは、とても素晴らしいと思います」

ラッシーの文脈を、また別の「人間ではないキャラクター」であるキングコングの文脈と比べてみましょう。キングコングの文脈は原始的でダーク、神秘的で恐ろしさを感じさせる南洋です。そこから連想されるのは古代の宗教儀式や生贄、抑圧されたセクシュアリティなど。どこから来たか不明であるのも神秘的です。キングコングが怖く見えるのは、私たちが未知のものを恐れる気持ちを投影するからです。

エクササイズ

性質や特徴を選び、そこから連想されるもので発展させ、文脈をはっきりさせるという手順を用い、「どこかの惑星からやってきた、うろこがある奇妙な生物」のキャラクターを作ってみましょう。どんな性質を与えますか？　自分を守ろうとする性質や不安、人を操る性格を強調しますか？　あるいは慈愛や仲間意識、愛くるしさを強調しますか？

このキャラクターについて、受け手に向けどのような連想を設定しますか？　人間に似た性質のネガティブな面かポジティブな面のどちらを強調するかで変わるでしょう。

この生物の文脈は？　生息地を地底とし、原始的でダークな文脈を強調しますか？　空から下りてきたとして、異世界からやってきたことを強調したり、明るく朗らかな文脈を与えたりしますか？　あるいは、地上に生息するとして、親近感のある設定にしますか？

ファンタジーのキャラクター

ファンタジーのキャラクターはロマンチックで不思議な世界に住んでいます。その世界には妖精や巨人、ゴブリンやトロール、魔女などがいます。邪悪でダークな存在もいますが極端な悪ではありません。危険だけれど怖くはない存在です。いたずらもしますが、基本的に善意をもっています。最後に救済される場合もあるでしょう。

こうした不思議な世界の文脈にいるキャラクターの性質や特徴は限定的です。少数の特徴がはっきりと設定されています。ポール・バニヤン〈アメリカ合衆国の民話に出てくるキャラクター〉のような巨人や『ガリバーの冒険』のリリパットのような小人など、特異な容貌をもつキャラクターも存在します。

不思議な力をもつキャラクターもいます。「アーサー王伝説」の魔術師マーリンや『オズの魔法使い』の西の魔女などです。

超越的に善良なキャラクターや能力が高いキャラクター、あるいは超越的に悪いキャラクターもいます。おとぎ話のヒロインやヒーロー、悪者はほぼ、これに当てはまります。

ファンタジーのキャラクターはおとぎ話や民話から派生しますが、『ビッグ』（一九八八年）の大人の身体をもつ少年や『コクーン』（一九八五年）のアンタレア星人など、新規に創作されたキャラクターもいます。

テレビドラマ版『美女と野獣』は、ファンタジーのキャラクターである野獣のヴィンセントが、現実のキャラクターであるキャサリンと同じ世界に登場します。地下に住む粗野で原始的な存在で、いつも空を見上げて光を求めているというのがヴィンセントの文脈です。キャサリンの文脈は現代的な高層アパートの住人で、対照的なコントラストがつけられています。キャサリンは普通の人間のキャラクターですから、喜怒哀楽の感情や思いやりなどを幅広く表現し、仕事のし過ぎで疲れたりもします。

それに比べてヴィセントの資質は限られています。人間の身体で頭がライオンというだけでなく、ファンタジーのキャラクターとして存在しています。醜い容貌であっても彼の性格はポジティブです。親切でやさしく、思いやりがあります。時折、何かを激しく求めますが、基本的に彼の魂は善良です。この善良さこそ、ヴィンセントのメインの資質です。ドラマは全体的にロマンティックに作られており、ヴィンセントは英雄的に描かれ、現代のおとぎ話に仕上がっています。

広告の分野では、よく知られるキャラクターに緑色の巨人、ジョリーグリーンジャイアントがいます。このキャラクターの創作の経緯をご紹介しましょう。性格や特徴を厳選することにより、はっきりと記憶に残るキャラクターになることがおわかり頂けると思います。

一九二四年、「グリーンジャイアント」という名称の、大きなサイズの豆が発売されました。キャラクターの考案を請け負った大手広告代理店レオ・バーネット社がおこなったことは、まさにファンタジーのキャラクターの創作と言える部分がありました。この巨人が緑の谷に住む設定にしてポジティブな文脈を与え、健康と豊かさを連想させるようにしたのです。

同社のハントリー・ボールドウィンは次のように書いています。「食べ物とは生きるために必要なものだと、私たちは深いところで感じています。どの古代文化にも狩猟や収穫の神がいます。神殿は豊穣と清々しさとすこやかさを約束するものでもありました。その神々の直系の子孫がグリーンジャイアントです。多くのファンタジーキャラクターと同じく、彼について知られていることがいくつかあります。彼は豊かな作物を生み出す谷に住み、そこで働く人々を導きます。彼は種まきや収穫から梱包に至るまで、こまやかに世話をします」

キャラクター性を広げる特徴も与えられました。「グリーンジャイアントはコマーシャルの『スター』ですが、ビジュアル的には脇役として補佐をしています。注目を集めるよりは、存在を感じさせるキャラクター。まじめですが堅苦しくはありません。フレンドリーで温厚な性格です（ですから『ホーホーホー』とサンタクロースのように笑います）。それでいて謎めいており、ファンタジー性が生まれます。アーティストやカメラマンが彼を画面に登場させてはいますが、本当の姿は皆さんの想像におまかせです」

巨人はファンタジーの文脈の中に留まるべきだとボールドウィンは力説しています。あるバージョンの広告でリアルな人々と一緒にグリーンジャイアントがいる場面を制作しましたが、うまくいかなかったそうです。「リアルな人々と一緒に並べると、巨人は作り物だという感覚が出過ぎて夢が壊れてしまう。ファンタジーは見る人が『信じる』ように作らなくてはなりません。そうでなければ、単に大げさなだけ。アニメーションはファンタジーを広げてくれます。理屈ではなく象徴的なレベルでストーリーを見せてくれますね」[*2]

神話的なキャラクター

これまでに取り上げてきた三つのタイプが打ち出しているのは特徴と文脈、そして連想です。神話のキャラクターも同じですが、さらにもう一つ、追加する要素があります。それは、観客や読者の理解です。普通のストーリーと神話との違いは解釈や受け取り方にあります。たいていのフィクションは涙や笑いや学びなどの感動をもたらします。しかし、映画や小説が終わると受け手側の体験も終わります。しばらくは何かの場面やキャラクターが記憶に残っているでしょうが、ずっとその体験が続くわけではありません。

神話的なストーリーは、物語を味わう体験に加えて、自分自身への振り返りが起こります。ある場面やキャラクターを何度も思い出して身震いすることもあるでしょう。心に刻みつけられてしまうのです。神話的なストーリーは私たち自身の人生の意味を表します。そして、自分の存在や価値や願望への理解を深める働きをします。私たちは映画や小説に自分自身の物語を重ねているのです。

神話の登場人物や神話的なキャラクターは私たちを励まし、モチベーションを高め、新しい行動や理解へと導いてくれます。彼らの英雄的な側面に自分を重ね、その壮大さを感じることで、スケールの大きな人間になれると言ってもいいでしょう。

神話的なストーリーとは英雄譚であり、苦難を乗り越えて宝物や幸福を獲得する人物が登場します。原則的に、英雄は旅をして変化します。私たちはそのストーリーを追いながら、自分にとっての英雄の旅に思いを馳せるのではないでしょうか。自作の脚本や小説を売り込むために克服すべき課題もあれば、理想の愛や仕事や生活を求める時にも課題があります。また、ストーリーの旅をたどりながら、私たちは人生の価値や意味を探して心の旅もするでしょう。

多くの映画には、苦難を乗り越えるヒーローといった神話的な要素が含まれています。ただし、観客が自らの人生を振り返って同一視しなければ、真の神話にはなりません。観客が自分自身をストーリーに投影できるかどうか。また、ストーリーとキャラクターが観客の人生観を深めるかどうかが判断の基準になります。

たとえば『インディ・ジョーンズ／最後の聖戦』（一九八九年）は聖杯を求めるヒーローが、あらゆる障害を乗り越えていく壮大なストーリー。神話になる条件が揃っているかのように見えます。

では、深く掘り下げて考えてみましょう。聖杯を探すインディの旅は私たちの心を満たす人生の旅路と似ているでしょうか？　私たちが困難に立ち向かう励みになるでしょうか？　人生と深くつながれるでしょうか？

答えはたぶん「いいえ」でしょう。楽しく、ワクワクさせてくれる映画であることは間違いありません――でも、これは神話かと問われたら、そうではなさそうです。

同じ質問を『E.T.』や『未知との遭遇』(一九七七年)、『ブレードランナー』(一九八二年)、『ロボコップ』(一九八七年)、『スター・ウォーズ』シリーズなどの映画に当てはめてみてもいいでしょう。

では、別のキャラクターを見てみましょう。神話的なキャラクターとされており、広告に登場するキャラクターとして最も成功した人物――それは、マールボロ・マンです。

広告代理店ジェイ・ウォルター・トンプソン社の元社員マイケル・ギルはこう述べています。「フィクションの作品と同じように、広告も、見る人の潜在意識に訴えることが必要。その点でマールボロ・マンは成功したんだろうね。人と馬がいれば馬に乗る人の神話ができると神話学者のジョーゼフ・キャンベルは言った。普通はそれが王様や神や騎士や戦士になるのだろうが、マールボロ・マンはご存じのとおり、西部を象徴するカウボーイ。人々がリスペクトし、偶像化する存在だ。タバコを吸ったり酒を飲んだりする時、人は無頓着にそうするのではなくて、自己肯定感をもたらしてくれるものとつながろうとしているんだ。

キャラクターを具体的に示すほど人々は感情移入して好感を抱く。マールボロの広告では口ひげやタトゥー、白い帽子だね。それが黒い帽子なら、違った意味合いになるだろう。彼は広い平原で馬に乗っている。街の中ではない。街は汚れていて、危険だ。田舎はいい。彼はいつも雄大な景色の中で美しい動物たちに囲まれている――自由であること、満喫すること、楽しむことの原始的な表現だ。新鮮な空気と健康的なイメージも重要。そして、自信を感じさせること――彼は自分の力でやり遂げる。いつも一人でいる。他の男たちと一緒にいる時はあっても、女性と一緒に登場はしない――それをすると神話ではなくなってしまう。広告で神話的な表現をするのは稀だが――マールボロ・マンはその稀有な例だと思う」

マールボロの購買層である喫煙者は荒野で過ごすことはあまりなく、乗馬もしたことがない人たちが大半でしょう。それでも彼らはマールボロ・マンに意味を見出します。彼は新鮮な空気と広い空間、自信をもつことへの願望を表すキャラクターなのです。

『美女と野獣』のヴィンセントはファンタジーであり神話的なキャラクターとも言えるでしょう。スーパーマンも神話的なキャラクターです。病んだ社会の闇を描くバットマンも神話的なキャラクターと言えます。

映画およびテレビドラマの制作会社グーバー・ピーターズ・エンターテインメントの制作部シニア・バイス・プレジデント〔日本では常務にあたる〕のマイケル・ベスマンはバットマンのキャラクターの開発についてこう述べています。「バットマンは静かな復讐者。ロボコップのようだね。ブルース・ウェインは億万長者で二重人格。殺された両親の復讐をする。富豪の後継者としての華やかなおいたちも、彼にとっては苦痛だ。マスコミに追いかけられ、大衆を常に意識しなくてはならない。バットマンになれば、彼は怒りをおおっぴらに解放できるんだ。ブルース・ウェインは世間の中で生きなくてはならない。身元がはっきりしている。だが、バットマンは違う」

ブルース・ウェインは人間としてのアイデンティティに縛られているとも言えるでしょう。もっと単純に、ストレートに行動するために非現実的なキャラクターに変身することを選びます。多面性を放棄すれば人としてのどうしようもない苦しみを感じずに済みます。バットマンがいれば両親は救われた――その思いが彼にバットマンを作り出させるのです。

ベスマンは次のように比較をしています。「クラーク・ケントは自分の秘められたアイデンティティを強く意識している。地球でスーパーヒーローたるのは自らの超人的な能力のためだろう。だが、バットマンは苦しみや怒りから生まれ、その感情を発散しようとする。

観客の反応もずいぶん違うんだ。僕はスーパーマンのコミックの大ファンで、スーパーマンが本当にいたら、とワクワクした。神様は本当にいるんだな、と信じるような気持ちになって安心するんだ。自分もスーパーマンになりたいとは思わない。ただ一緒にいたいだけ。それに比べてバットマンは山を登るような感じで、彼が背負う苦難を想うと、感情が刺激されるんだ。スーパーマンのようなマジカルな感じは薄く、僕らと同じような存在に感じられる。スーパーマンは白い食パンのように食べやすい存在で、バットマンはその正反対。両者はコインの裏表のようなんだ」

バットマンの文脈はキャラクターにも表れます。コミック本のヒーローには非常にダークなものがいくつかあります。ベスマンは「ゴッサム・シティは現実味があり、ざらついた感じで、ダークで心理的なものを感じさせる。舞台設定が誇張されているから、なぜバットマンが生まれたかもじゅうぶんに理解できるんだ」と述べています。

小説『オペラ座の怪人』をもとにした映画やミュージカルも興行的に大成功したストーリーで、傷ついた被害者を象徴する神話的なキャラクターが登場します。映画化を目指し脚本を書いたジェームズ・ディアデンはこのキャラクターをいかに神話的にするかを考えました。「幻影のような存在を作りたかった。でも、この醜い男はずっと洞窟に隠れ住んでいて、なおかつ、人を愛する美しい魂がある。それをどうやって描けばいいか。本来なら臭くて醜くて、心も歪んでいるはずだから、現実的なキャラクターでないことは確かだよね。これは神話がベースにあるんだ。脚本では一貫して、象徴的なキャラクターを説得力のある形で描けたと思う。価値というか、アイデアからまず始めた。つまり、やさしく寛容な魂をもちながら、醜い容貌で社会から疎外されている者。『美女と野獣』のようなものだ」

神話的なキャラクターによくある資質があります。それは、英雄的だということ。そのような宿命を負っている面もあり、また、彼らには試練に立ち向かう力もあります。そしてストーリーの中で変化をし、より強く、賢くなります。謎めいた、暗い過去もあるでしょう。物語の中で明かされなくても、何らかのバックストーリーを感じさせます。

その過去を創作者（と、キャラクター本人）が知っていても、あまりにもつらくて口に出せない場合もあります。キャラクターはまだ吹っ切れておらず、語りたくないのです。これが当てはまる場合はバックストーリーの重要性が高まりますが、ミステリアスであるために観客や読者はそれを自分で解釈するようになります。西部開拓時代の神話を象徴する『シェーン』はこのカテゴリーに入るでしょう。

過去がストーリーの中で明かされる場合もあります。バットマンの経緯を目の当たりにすると、私たちも復讐にこだわり続ける理由が自分なりに理解できます。

どの時代でも、人生に対する理解を深める神話のようなストーリーが新しく作られます。一九三〇年代にはチャールズ・チャップリンの『モダン・タイムス』（一九三六年）が過剰な工業化社会での人間の無力さを訴えました。一九八〇年代には『ブレードランナー』が腐敗や人口増加が招く未来を提示しました。また、オリバー・ストーンも欲望を『ウォール街』で描き、善悪の意義や失われた純粋さを『プラトーン』で伝えています。『フィールド・オブ・ドリームス』は過去に果たされなかったものの解決を、『危険な情事』や『シー・オブ・ラブ』（一九八九年）は現代人の孤独が人間関係に引き起こす危険を描いています。

神話的なキャラクターは創作が難しいかもしれません。リアルな人間のような多面性をもたせつつ、神秘性も必要です。具体的な情報が隠されているために、平凡な人間ではなく何らかの理念を表す存在に見せなくてはなりません。人間でありながら象徴的な存在でもあるというバランスが必要なのです。神話的かどうかの判断は、結局、観客や読者の人生に響くかどうかで決まります。神話的な側面をわずかに与えてキャラクターの存在感を深め、人々の心に訴える力を強めることも可能でしょう。[*3]

前に述べた『冒険野郎マクガイバー』の制作陣とのセミナーでは、マクガイバーに神話的な側面を加えるためのディスカッションもしました。英雄的に見せるためには謎めいた面を残しておきたいと、ABCネットワークのエグゼクティブであるウィリアム・キャンベル三世から提案があったのです。ミステリアスな英雄の存在に加えて、アクションとインテリジェンスと感情の組み合わせが番組の魅力だというわけです。新しい英雄像の創作が求められているのだろうと筆者は考え、神話的な視点からブレインストーミングをし、人物像や視聴者との関係を発展させることにしました。

英雄、つまり「ヒーロー」の定義は時代によって変わりますが、その変化は大変ゆっくりです。基本的に、昔からヒーローとは戦士で覇者で競争者——行動する者たちです。確かにマクガイバーも行動的な男ですが、どんな状況でも非暴力的に、争わずに対処をします。古代のヒーローは大自然に打ち勝つために出陣しましたが、マクガイバーは地球環境を保護します。また、武骨で個人主義のイメージはなく、人道主義的なチームプレイヤーです。マクガイバーは現代人が求める新しいヒーローと言えるかもしれません。若者がドラッグ依存や心の病に陥り、無力感に苦しんでいれば、彼はそれに代わる生き方や行動を示します。

マクガイバーの人物像を発展させるには二つの方向性がありました。神話性を高めれば、時事性が高いストーリーが増やせます。政財界の腐敗や環境汚染、遺伝子組み換えなどにまつわる問題に対して、新しいタイプのヒーローが平和的な解決へと導くのです。

こうした神話的な側面に加えて、キャラクターに謎めいた過去や未解決の問題を設定し、視聴者の想像や解釈にゆだねることも可能です。

しかし、キャラクター（と、それを演じる俳優）のパワーは感情表現に負うところも大きく、多面性も必要です。それは神話的なキャラクターとは拮抗するため、神話性を高めようとしない方がいいかもしれません。本来マクガイバーに謎めいた過去はなく、感情をはっきりと表すキャラクターです。

神話に近づけようとする代わりにテクノロジー社会における彼の問題解決能力や、非凡な資質を文脈として与える方向性もあります。そこから視聴者の連想が広がれば、キャラクターの人間性を損なわずに神話的なニュアンスが生み出せるかもしれません。

▼ケーススタディ――『ネバーエンディング・ストーリー 第2章』

一九八九年の春に筆者は『ネバーエンディング・ストーリー 第2章』のコンサルティングを請け負いました。本作はその年の夏に撮影されて一九九〇年秋に公開されました。ストーリーは少年バスチアンと父親の現実的な場面で始まり、空想の世界ファンタージェンに移ると人間ではないキャラクターや象徴的なキャラクター、神話的なキャラクターたちが登場します。この作品では大部分のキャラクターが一つ以上のカテゴリーに当てはまります。

人間ではないキャラクターはワンボーたち、ウィンドブライド、ラヴァマン、マッドウォートや前作にも登場したニンブリー、ファルコン、ロック・バイターなどがいます。

ワンボーとウィンドブライド、ラヴァマン、マッドウォートは象徴的なキャラクターでもあります。

脚本家カリン・ハワードはこう述べています。「原作小説〔ミヒャエル・エンデ『はてしない物語』〕から派生させたキャラクターもいます。ワンボーは城に嵐をもたらす生き物たちで、構想を練っていた時には映画『ランボー3／怒りのアフガン』（一九八八年）のポスターを街じゅうで見かけましたので、それにちなんでワンボーと名付けました。この生き物たちを軍隊のように見せるために、騒音や煙や土埃を立てさせ、あたかも戦闘をしているかのような演出をしています。

『秘密の船』に登場する大地、空気、風、溶岩のキャラクターは状況説明のために作りました。第一作目では長老のようなキャラクターがその機能を担っていましたが、哲学的なセリフが多くなりそうなので、よりビジュアルな表現を目指しました。バスチアンに状況を伝えるメッセンジャーのようなキャラクターですね。大地、風、炎から発想を得て沼地の生き物と風の生き物、火の生き物にし、キャラクター性を発展させるために名前を付けました。そして、名前から連想するものを考えました。甲高い音を出す生き物を作り、マッドウォートは大地を表すうなり声、ラヴァマンは火でウィンドブライドは風を表します。

ニンブリーたちは原作小説に一段落分の描写があり、ウサギに似たメッセンジャーとされています。ファンタージェンで最も速いランナーたちです。そのアイデアを採用してニンブリーという一羽のキャラクターにしました。ランニングシューズにスニーカー、野球帽といったいでたちです。足が速いなら、おそらく着地がへたで、ひっくり返ってしまう時もあるでしょう。このキャラクターは魔女に仕えるスパイかもしれません。裏切りを表す『ターンコート』という言葉が思い浮かんだので、それを表現するものを制作してもらいました。羽根を後ろに折りたたんだ時はあくどいことをしている印というわけです。魔女のところにいる時は悪い面、バスチアンやアトレーユと一緒にいる時は羽根を前に出し、良い面を見せます。

ニンブリーと共に、几帳面な科学者である三面人というキャラクターもいます。クレイジーな技術者であり、フランケンシュタインのようなイメージで、女帝の都市を守る門番のような役目を果たしています。当初、三面人の身体は樹脂で作り、体内を通るパイプなどが見えるロボットのような容貌を考えていました。結局、白衣を着せて、三つの顔がある魔術師のような外見になりました。

第一作目からのお気に入りはロック・バイターです。大きくてずんぐりした生き物で、つぶらな瞳と尖った頭。彼は岩を食べます。ブレインストーミングで赤ちゃんのロック・バイタージュニアを登場させようと思いつきました。前作でのファンタージェンは『無』に脅かされていましたが、第2章での脅威は『空っぽ』です。岩も空っぽになっていて、ジュニアはいくら岩を食べてもおなかがいっぱいになりません。こうして空っぽというテーマを表現させています。

竜のファルコンは第一作目ですぐにうまく確立できたキャラクター。監督や宣伝担当のお気に入りでもあります。心を通わせることができる親友のようなキャラクターですね。理解力があり、人間の欠点も受け入れながらポジティブな態度でいるので、ユーモアのセンスもあります。

これらのキャラクターはそれぞれ異なる機能を担っています。ニンブリーとワンボーはストーリーを前に進める働き。大地や風や火の生き物たちは状況を説明し、ロック・バイターがテーマを伝えます」

この映画には人間のキャラクターもたくさん出てきます。バスチアンと父親は現実的なキャラクターですが、他はファンタージェンに住むファンタジーの人物たちです。バスチアンと魔女ザイーダ、幼ごころの君、戦士アトレーユは神話的なキャラクター。「空っぽ」に脅かされるファンタージェンを守るために冒険します。

カリンはこのように続けます。「バスチアンは人間のキャラクターですから自由意志が強く、予測がつかない動きをします。時々選択を誤り、また、正しい選択もします。彼と父親は最も多面的なキャラクターです。

ファンタージェンの戦士アトレーユはあまりにもいい子でつまらなくなる危険性がありました。原作小説ではバスチアンに嫉妬しますが、映画版では仲間にしたいとプロデューサーが言ったのです。面白くするために少しジェラシーの要素を入れましたが、作品の中心にならないよう、サブプロットの中だけで描いています。

ファンタージェンの魔女ザイーダはセクシーにしようと思いました。意志が強く、奔放で、玉座でも好き放題にふるまい、思い通りにいかないと不機嫌になります。善良な幼ごころの君とは真逆なキャラクター。妖艶なザイーダはついに『もうたくさん。これからは私の時代よ。絶対にファンタージェンを手に入れてやるわ』と言い放ちます。魔女は自分の戦車や巨人たちが動かなくなると激怒します。ここでユーモアを多用し、かんしゃくを起こすザイーダを面白く描きました。ザイーダが表すのは『空っぽ』の概念。ストーリーやイマジネーションに反対するキャラクターです。

幼ごころの君も重要なキャラクターですが、一作目ではっきりと定義されていたため、創作に時間はかかりませんでした。撮影もたった一日で済みました。彼女は美しい少女で、可愛い声をしています。とても善良なので、言葉をしゃべる必要さえないほど。ですから、ただ、素晴らしい言葉を書いて、彼女の口から言わせるだけ。彼女は善も悪も知りません。彼女は批判をしませんから、何もかもを公平に捉えるのです。ドイツ語で『彼女はキッチュ〔低俗、悪趣味、陳腐といった意味〕だ』という表現も似合っていました」

クエスチョン

非現実的なキャラクターについて、次の質問に答えてみてください。

- そのキャラクターはどんな理念を表現しているか？
- その理念から連想するものは？　ブレインストーミングで、キャラクターとの一貫性を確認したか？
- キャラクターの文脈は？　文脈の変更や拡張を考えているなら、それは人物像の強化に役立つか？
- そのキャラクターは観客みんなに当てはまる普遍的なストーリーと、どのように関係するか？　神話的なキャラクターの場合は、神話のいろいろな側面を考えた上で明確に絞り込めているか？

まとめ

非現実的なキャラクターには四つの基準があります。理念を表現する度合いはどれぐらいか？　文脈によってどのように人物像が決定されているか？　観客や読者にどのような連想をさせるか？　そして、観客や読者が自分の人生の意味を理解するのに役立つか？

非現実的なキャラクターはいろいろな媒体で成功を収めています。小説（『黒馬物語』、グリム童話、アンデルセン童話、『シャーロットのおくりもの』）、映画（一九三三年公開の『キングコング』、『未知との遭遇』）、テレビドラマ（『アルフ』、『名犬ラッシー』、『名犬リンチンチン』）。『バットマン』や『スーパーマン』シリーズ、『ターナー&フーチ／すてきな相棒』（一九八九年）、『オペラ座の怪人』（二〇〇四年）の大ヒットは市場を拡大し、クリエイターにとってもさらなる需要を生み出しました。

第9章

ステレオタイプを超越する

フィクションは強い影響力をもつことがあります。キャラクターも、多くの面で私たちに影響を与える可能性があるでしょう。気づきやモチベーションをもたらし、自分や他者についての理解を深め、本質的な学びを与える模範にもなります。私たちにとっては、それが新しい生き方へとつながることにもなるでしょう。

キャラクターにはポジティブな影響力がある反面、ネガティブな影響を及ぼす可能性もあります。テレビ番組の内容を模倣した犯罪行為の実在にも強いエビデンスがあり、子どもや大人の暴力とテレビで放映される暴力との相関関係も多くの研究で示唆されています。メディアにおけるステレオタイプもネガティブな印象を植えつけます。クリエイターとして多面的なキャラクターを創作する時は、ステレオタイプとは何であり、どうすればステレオタイプを打ち破れるのかを理解しておくべきです。

ステレオタイプとは、ある特定の属性をもつ人々を、限定的な見方で継続的に描写することと言えるでしょう。たいていは、ネガティブな描写です。自分たちの文化的な特徴に対して偏った見方をし、それに基づいて異文化の特徴を狭い見方で描いています。人間性を否定するような表現もあります。

そのような描き方をされるのは誰でしょうか。自分たちとは異なる人々なら、誰でもです。自分たちが理解できない人々。白人のクリエイターにとって、それはアフリカ系やアジア系、ラテン系、北米先住民族などのマイノリティと呼ばれる少数民族かもしれません。身体的な障がいや発達障がい、情緒や精神の病をもつ人々もしばしばステレオタイプ的な描かれ方をします。

宗教にも偏見があるでしょう。イスラム教やカトリック、プロテスタント、ユダヤ教、ヒンドゥー教、仏教など、あらゆる宗教が対象になり得ます。

性別や、性的志向もステレオタイプの対象になり得ます。同性愛でも異性愛でも、自分とは異なる志向をもつ人々が偏見の対象になるのです。
自分よりも年齢が上あるいは下の人々に対しても、異文化と同じようにステレオタイプ的な見方をしがちです。

ステレオタイプ的なイメージは集団によってさまざまです。被害者として描かれることが多いのが女性とマイノリティです。特に映画ではこの傾向が強く、すぐに死ぬ設定か、白人男性に救助される役どころがよく見られます。

障がいをもつ人々は、肉体のゆがんだ形状が魂のゆがみの象徴として捉えられがちです。あるいは哀れな被害者とみなされるか、逆に、超人的な存在として、奇跡的に障がいを克服して偉業をなしとげる人物として描かれます。

アフリカ系はコミカルな存在か冗談の的、あるいは犯人役が多いです。アジア系の場合、女性はエキゾチックでエロティック、男性は何もわかっていない人々の集団か、裕福で行儀のよいマイノリティのお手本のような描写が目立ちます。後者はネガティブな印象ではありませんが、狭く限られた見方を示しています。アジア系の人々も、家庭的、社会的な問題があれば他の人種と同じように影響を受けるという認識に欠けています。

北米先住民族が残虐な悪人や、酒浸りの卑劣な無法者として描かれた例は数多くあります。ラテン系はギャングのメンバーや強盗役が多いです。また、劇作家ルイス・バルデスが言うように「ラテン系のストーリーといえば南西部が舞台と決まっていて、壁は日干し煉瓦、屋根はタイルという家屋の中で展開するものだと思われている[*1]」

白人男性も例外ではありません。無口でタフか、非常にマッチョなタイプとして行動する側面が強調され、そうではない白人男性のアイデンティティを否定しています。家事をする主夫やマッサージ師、教師など、人を癒して育てる男性たちは自分の価値が軽視されていると感じるでしょう。深く考える男性や、慈愛を与える男性のリアリティはめったに表現されません。

秘書やブロンドの女性、バスケットボール選手、WASPと呼ばれる白人プロテスタント教徒、退役軍人、弁護士など、どんな集団も、どこかでステレオタイプ的に描かれています。人間の特徴は複雑なもの。それを単純化して捉えようとするのも人間の自然な欲求です。先入観を持たれない人はいません。

「キャラクターのタイプ」はそれとは異なります。「愚かな父親」や「偉そうな兵士」というのはキャラクターのタイプであって、ステレオタイプではありません。なぜなら、父親や兵士がもつ他の特徴とのバランスがとれているからです。こうしたキャラクターを見ても、読者や観客は「父親はみんな愚かだ」「兵士はみんな偉そうだ」と結論づけません。キャラクターのタイプの設定は、ある特定の集団（たとえば父親たち）が同じ特徴（たとえば愚かさ）だと示唆しているわけではありません。ステレオタイプは集団全体の特徴を決めつけます。

ステレオタイプを意識する

書き手の意図はよかったとしても、フィクションの作品には白人のキャラクターが多く、世界の実態とずれています。アメリカ合衆国の人口の一二パーセントがアフリカ系、八・二パーセントがラテン系、二・一パーセントがアジア系、二パーセントが北米先住民で占められ、全体の二十パーセントが何らかの障がいをもつ人々です――しかし、ほとんどのフィクションで描かれるリアリティはかなり異なっています。

近年のテレビ番組の分析で米国公民権委員会が得た結果によると、米国の総人口で白人男性が占める割合は三九・九パーセントであるのに対し、テレビ番組のすべてのキャラクターの六二・二パーセントが白人男性だったそうです。

また、米国の総人口の四一・六パーセントが白人女性で九・六パーセントがマイノリティの女性ですが、テレビドラマに登場するすべてのキャラクターの中での比率は白人女性が二四・一パーセント、マイノリティの女性はわずか三・六パーセントでした。[*2]

米国ではすべての女性の内の九五パーセントが家庭の外での労働を経験しますから、「女性は家庭にいるもの」というステレオタイプはもはや真実とは言えません。神学と法学を学ぶ学生の四十パーセントは女性ですから、映画やテレビに女性の弁護士や判事、司祭がたまにしか登場しないのも現実的ではありません。女性のパイロットや機械工、電話修理工、ユダヤ教のラビ〔宗教的指導者〕も珍しくありません。白人男性だけを理想のキャラクターとして描くと、多様性に富む文化にそぐわなくなってしまいます。

キャラクターを設定する時は、こうした統計的な数字が参考になるでしょう。さらに都市単位で見ると数字は変わります。サンフランシスコが舞台のストーリーをリアルに描くなら、アジア系と同性愛者の比率は大きくなるでしょう。ロサンゼルスが舞台ならラテン系の比率が大きくなり、デトロイトやアトランタではアフリカ系の比率が大きくなります。

ステレオタイプを超越するということは、視野を広くすることでもあります。キャラクターを創作しながら、あなたの観察力も鍛え直していきましょう。どんな場でも、私たちはまず、大多数を構成する集団に目を向けます。もしもあなたが、一九六〇年代に、筆者の故郷ウィスコンシン州ペシュティゴ（人口、二千五百四人）を訪れたなら、中流階級の白人が暮らす静かなコミュニティだとすぐにわかるでしょう。住民のほとんどはプロテスタントかカトリック教徒で、「教会には行ってない」という人たちがわずかにいるという印象です。

さらによく見てみると、コミュニティの多様性が見えてきます。当時、ペシュティゴには家電用品店を営むユダヤ系の家族と、戦後にラトビアから来た移民の家族がいました。近郊にあるピクルス工場のために夏場にキュウリ摘みをするメキシコ人たちも数名います。筆者の父はドラッグストアを営んでいましたが、近くの居留区に住む先住民族メノミニー族の人がたまに買い物に来ていました。他に覚えている人は、一人は午後に下校する児童たちを横断歩道で見守っている人で、もう一人は学習障がいがある小学五年生の女の子、あと一人は片腕をがんで失った中学生の女の子。とても裕福な家が四軒と、とても貧しい家が三軒ありました。

数年後にまた見直せば、静かで何もないように見えた町にも、ステレオタイプを打ち破るようなディテールがあることに気づくでしょう。ウィスコンシン州立銀行から現金を奪って逃走した三名の強盗が六時間後に逮捕されたこと（彼らが逃げた道路は行き止まりでした！）。反戦運動家の司祭がベトナム戦争時に町でデモ行進を率いたこと。さらに後の時代では、全米に名を馳せた人物が三名現れました。近郊に別荘をもち、O・J・シンプソンの弁護団に参加した弁護士F・リー・ベイリー。ベトナム戦争のソンミ村虐殺事件に関与した軍人のアーネスト・メディナ。ニカラグアで爆撃中に撃墜されて捕らわれた傭兵ユージーン・ハーゼンファスです。

お気づきのように、これらの人々はあまり人種や民族で語られておらず（ユダヤ系の家族、プロテスタントなど)、むしろ、役割によって定義されています(店を営む人、反戦運動家の司祭など)。

まず、あなた自身の文脈の中の多様性を見てみれば、あなたがおこなった全般的なリサーチの確認ができます。あなた自身の背景にいる人々はマイノリティのキャラクターとして素晴らしいモデルになるでしょう。

小説や短いストーリーにマイノリティのキャラクターを登場させるのは比較的簡単です。舞台や映画やテレビ向けのストーリーなら、先住民族の医師や韓国人の機械工などの表現はキャスティングの決定にゆだねられる可能性が高いでしょう。実際に、そうなるケースが多く、問題は複雑になります。キャスティングディレクターとプロデューサーはマイノリティの登場をあまり考慮しないからですが、書き手としてできることはあります。

『女刑事キャグニー&レイシー』でスーパーバイジング・プロデューサーを務め、脚本家チームのヘッドライターでもあったシェリー・リストはこう言っています。「私はマイノリティの描かれ方を意識していますから、脚本にも全般的に書き入れます。曖昧な形でキャスティングディレクターに任せるのではなく、たとえば、学校の生徒はアジア系やアフリカ系や白人がいるとはっきり書いておきます。あるいはラテン系の検事、アフリカ系のエンジニア、アジア系のニュースキャスターというふうに指定もします。それについてネットワークから意見が出ることはないし、気にしていないようですね。キャスティングディレクターは脚本を読み、指定に従います」

特にマイノリティと指定されていなかった役を演じて高く評価されたケースもあります。つまり、白人が演じていたかもしれない役柄をマイノリティの俳優が獲得して演じた例です。エディ・マーフィー主演の『ビバリーヒルズ・コップ』(一九八四年)はもともとシルヴェスター・スタローンのために書かれた脚本でした。『愛と青春の旅だち』（一九八二年）でルイス・ゴセット・ジュニアが演じた軍曹の役は白人を想定して書かれていました。『エイリアン』（一九七九年）でシガニー・ウィーバーが演じた役は、元は男性キャラクターとして設定されていました。ウーピー・ゴールドバーグが近年演じている役柄の多くはマイノリティを想定しておらず、また、中には女性キャラクターとして書かれていなかったものもあります。役柄の設定に関わらず、俳優は自らの文化的な背景によって特別なものを人物像に加えます。

マイノリティの俳優たちはこのようなキャスティングを好むでしょう。あらかじめ設定された人種や身体の障がいの有無などに該当する俳優が演じるよりもよい、ということです。

エクササイズ

アメリカの大都市にあるホテルのシーンを想像してみてください。どのような社会的ステイタスで、どのようなタイプの人々が宿泊するでしょうか。どのようなアフリカ系のキャラクターを登場させますか？　ラテン系は？　障がいのある人物は？　どのような職業でしょうか？　性別や年齢、信仰する宗教は？

異文化のキャラクターを多面的に設定するには

あなたにとって異文化のキャラクターを創作する時は、まず、その他の人物と同じようにして、人間としての感情や態度、行動をフルに考えてから、その異文化の影響を把握しましょう。あなたと同じ面があり、また、あなたとは異なる面があるように。これは他のキャラクターの創作とまったく同じです。

特別なリサーチも必要になるでしょう。少し前に得た知識が今も妥当だとは限りません。女性や男性、障がい者、少数民族はみな人権を訴えながら、常に自らの定義を見直し続けています。あなたが創作したいキャラクターが属する集団と接し、アドバイスを求めましょう。米国には全米黒人地位向上協会（NAACP）やノストロス（エンターテインメント業界に所属するラテン系の団体）、LGBTに関する活動を行うグラード（GLAAD）、カリフォルニア州知事障がい者雇用委員会など多くの団体があります。質問や相談を受け付ける窓口もあり、対応してもらえます。

実際に、対象となる集団に属する人に企画や作品を見てもらうのもよい考えです。あなたが女性なら、男性からの意見が役に立ちます。あなたが男性なら、女性からの意見を求めましょう。ほんの小さなディテールでも、それが適切かどうかが確認できればリアリティの面で安心です。

筆者は『刑事ジョン・ブック 目撃者』で脚本を手がけたウィリアム・ケリーから相談を受けたことがあります。彼の作品にクェーカー教徒の女性キャラクターを登場させたいとのことで、同じクェーカー教徒である筆者に質問があったのです。彼が考えている描写は正確で、しっかりとリサーチがなされていました。ただ一つ、彼が書いたセリフに出てくる祈りの言葉について、筆者は「それはクェーカー教徒の祈りではなくて、メソジスト派の祈りだわ」と指摘しました。このようにしてキャラクターの表現や重要なディテールを確認するのはとてもよいことです。

エクササイズ

お葬式のシーンを書くと想像してください。あなたが属する文化や宗派のお葬式ではどのような描写になりますか？　次に、他の文化や宗派のお葬式に参列したことを思い出してください。どんな違いがありますか？　ユダヤ教やクェーカー教徒、南部アフリカ系の人の葬儀の違いを調べるにはどうしますか？　あなたが出席したことのある結婚式をいくつか思い出してください。それぞれ、どんな違いがありますか？　新郎新婦の文化的な背景はどのように表れていましたか？

▼ケーススタディ――ウィメン・イン・フィルム　ルミナス賞

ステレオタイプが誘発する影響を鑑みて、女性やマイノリティの現実を表現に反映しようと声を上げる団体が増えました。

メディアにおける女性の描かれ方の変革を求め、「ウィメン・イン・フィルム」という国際的な組織がルミナス賞を創設したのが一九八三年でした。筆者は役員として、ステレオタイプ的な表現やポジティブな表現の審査基準を作成しました。

この審査基準はライターやプロデューサー、監督たちがキャラクターのステレオタイプを打ち破るのに役立ちます。

基準となる項目は八つありましたが、本書のケーススタディでは女性とマイノリティの両方に当てはまるものを五つご紹介します。

ステレオタイプ的でないキャラクターは多面的である

ステレオタイプ的なキャラクターは一面的です。ただセクシーなだけ、ただ暴力的なだけといった表現や、欲ばりな人やずるい人といった単純な表現です。多面的なキャラクターは価値観、感情、態度を示し、矛盾も見せます。ステレオタイプの打破とは人間がもつ深みや拡がりを描くことを指します。

ステレオタイプ的でないキャラクターは社会での役割や個人の役割がバラエティに富んでおり、文脈も多様性がある

ステレオタイプ的なキャラクターは限られた文脈の中で、限られた役割を担っています。単に「上司の奥さん」や「母親」、「秘書」、「副社長」などの役割だけを与えられます。多面的なキャラクターはいろいろな役割を担い、バラエティが豊かな文脈の中に存在します。狭い見方に限定されておらず、個人としても、人間関係においても存在感があり、文化や職業、土地、歴史の背景を感じさせます。役割や文脈を追加すればキャラクターは豊かに広がり、ステレオタイプを脱却できるでしょう。

ステレオタイプ的でないキャラクターは社会が多様性に富み、いろいろな年齢や人種、社会経済的な階級、容貌、職業があることを反映する

ステレオタイプを打破するには、リアルな社会を描写に反映することが必要です。テレビドラマに登場する女性の大多数は若くて美しく、裕福で、四十歳以上の女性の存在感が薄く、男女の収入格差の現実も反映できていません。マイノリティが従事する職種も限られており、低所得層として描かれがちです。社

会的な現実をストーリーに反映できれば、バラエティに富んだ世界が描けるでしょう。

ステレオタイプ的でないキャラクターは態度や行動、目的意識によってストーリーを展開させ、結果に影響を与える

ステレオタイプ的なキャラクターはリアクションをするだけの場合が多く、能動的ではありません。ただ翻弄され、力関係が上のキャラクターたちの被害者になっています。多面的なキャラクターは外側にある力に動かされるのではなく、自分の内面に軸があります。自らストーリーに影響を与えてアクションをし、結果を引き出します。キャラクターの意図をはっきりさせると、ただの被害者から脱却できて、ストーリーにパワフルな影響を与えるようになります。

ステレオタイプ的でないキャラクターは自らの文化背景によって新しい洞察をもたらし、新たなロールモデルとなる

ステレオタイプ的なキャラクターの多くは個性がありません。独自の視点があるにもかかわらず、白人男性と同じように行動します。女性やマイノリティも独自の捉え方をして問題解決に臨み、異なる反応をするでしょう。こうした個性を反映すればクリエイティブなディテールが生まれ、単一的な文化的視点では思いつかないようなひねりがストーリーに加わります。ステレオタイプの打破とは異文化の人々の貢献を認めることです。彼らが与えてくれるものの価値を認めれば、ストーリーに彩りや質感、個性が生まれるでしょう。

ルミナス賞は一九八六年に第一回の賞が授与されました。現在は改変を視野に入れて休止中ですが、この基準はキャラクター創作のために業界の人々によって利用されています。

クエスチョン

あなたが知っているアフリカ系やラテン系、北米先住民、アジア系などの人々を思い浮かべてみてください。メディアに見られる表現と、あなた自身の体験とはどう違っているでしょうか？　あなたが会ったことのない人種や民族はこの中にありますか？　彼らについて、真実だとあなたが「考えている」ことは何でしょうか？　あなたがストーリーの中で描く場合は特に、真実を探してみてください。

ケーススタディで紹介した基準をもとに、最近見た映画を評価してみましょう。基準よりも低い面はどこでしたか？　基準をしっかり満たしていたのは、どの面でしたか？　ストーリーを変えずに改善するにはどうすればよいでしょうか？

あなたの生まれた土地を思い出してみてください。どんな多様性がありましたか？　あなたが接したことのない文化圏から来ている人はいましたか？　あなたはそうした人々にステレオタイプ的な考えがありましたか？　そのステレオタイプからどのように脱却しましたか？

あなたが創作中のキャラクターの文脈を考えてください。舞台となる場の多様性を考えてみましたか？　現実を反映するためにリサーチする必要はあるでしょうか？　企画書や作品を読んでくれそうな人はいますか？　キャラクター設定や描写について提案をしてくれそうな人は誰ですか？

まとめ

ステレオタイプの打破は孤独な作業ではありません。この章に挙げた団体などはみな、マイノリティへの理解に役立つ印刷物を発行しています。その他の資料を提供している団体もありますし、記述や表現についての相談に対応できる人々もいます。

ポジティブな描写でストーリーの幅を広げ、キャラクターのいろいろな側面を豊かに描いてください。

第10章

キャラクターの問題を解決する

作り手が行き詰まるとキャラクターも行き詰まります。アイデアが浮かばない時もあるでしょう。キャラクターが何を求め、どんな人で何をしているかといった基本的なクエスチョンを考えても、何も展開が思い浮かばない。「困ったな、どうしよう」と頭を抱える人もいれば、「こんなことはよくあるさ」と達観する人もいます。

このような時は、単に作業をし過ぎていて、疲労のために思考力が鈍くなっているだけかもしれません。キャラクターに問題があれば、リサーチ不足が原因かもしれません。文脈が漠然としていれば、何も思い浮かばないのも当然です。

創作のことばかりしていて、生活がおろそかになっていないでしょうか？「自分の生活も充実させなくてはね。内にこもって書くだけじゃなく、外の世界にきちんと触れておくべきだ。周囲の出来事を味わないと真の実力は出せないよ」と脚本家のカール・ソーターは言っています。

どんなクリエイターもキャラクターについて悩みます。その問題点と解決策を、カテゴリー別に見ていきましょう。

キャラクターが好きになれない

小説『アメリカのありふれた朝』の作者ジュディス・ゲストは登場人物ベスが理解できませんでした。「プロットの面では困らなかったのです。でも、『ベスが嫌い』という読者がとても多かった。私には、嫌われるキャラクターを書く意図はありませんでしたから、作者としては失敗ですね。ただ、私自身もベスが嫌いだったのだと思います。そもそも、彼女の息子コンラッドが心を病むのはベスのせいだと思っていましたから。それが、小説を書き進めていくうちに状況の複雑さがわかってきて、彼女を責める気持ちは薄れていきました。作者としてベスの内面に入ろうとしなかったのは、私が彼女のことをほとんど理解できていないのがバレるのを恐れたからです。それを作家仲間のレベッカ・ヒルに打ち明けると、『あなたが彼女を嫌っているから、彼女が胸の内を明かしてくれないんじゃないかしら』と言われました。

自分で自分を嫌う部分があると、同じものをもつキャラクターが理解できない時があります。自分の中で、そうした部分につながると、キャラクターともつながれるのでしょうね。残酷さや愚かさ、頑固さは誰の中にもあるでしょう。それを直そうとしたり、抑えようとしたり、否定したりしていると、誰かがその嫌な面を表に出した時に腹が立つのです。自分の嫌な部分を受け入れて愛するべきですね。それも自分の一部ですから」

監督で脚本家のロバート・ベントンはこう語ります。「書かなきゃいけないキャラクターだとわかっていながら、嫌いだから書けなくて、別のキャラクターを作った時があるよ。あるいは、書いたはいいが、書くべきではなかったと後で思うキャラクターもいた。全然うまくいかないんだ」

あなたの深層心理に隠れたシャドウを映し出すキャラクターは好きになれないかもしれません。自分の心理を見つめ、受け入れることにより、ネガティブに思えるキャラクターを書く力が伸びるでしょう。

キャラクターが理解できない

キャラクターが理解できない時もあります。いくら頑張ってもキャラクターがするりと逃げてしまうような気がする時に、脚本家で監督のフランク・ピアソンは脚本にないシーンを書いてみることを勧めています。「キャラクター自身のことや、他の人物たちとの関わり方を、もう少し知る必要があるのだろう。（中略）一つの方法として、脚本とはまったく関係ないシチュエーションを想像してみるといい。たとえば、キャラクターたちが昼食を注文して食べようとしたら、一人がクレームをつけて、調理し直してこいと要求する。他のキャラクターたちはかなり恥ずかしいと感じる。そこから何が起きるだろうか。互いにどう話すだろうか。どんなふうに言い争い、ケンカをするか。雨の日にサンタモニカのフリーウェイでタイヤがパンクしたら、どうするか？　深夜にデトロイトで百ドル札を出しておつりをもらう時はどうするか？　こういうシーンを書いてみると、キャラクターについて意外なことがわかる[*1]」

キャラクターが曖昧である

キャラクターにも個性があり、こまかい特徴があります。その部分の設定がおおざっぱで曖昧な時に問題が起きることもあります。

ロバート・ベントンはこう述べています。「注意していないと、うっかり、個性をきちんと出さずに人物を描いている時があるよ。単にプロットを進めるだけで。いいキャラクターはプロットを乗りこなすだけの力がある。プロットのための道具でもなく、作者の主張を伝える道具でもないんだ。僕が時々やってしまうのは、キャラクターの一貫性ばかり気にして、キャラクターに自分自身に対する思いを語らせ、それが抽象的になってしまうこと。そんな時はキャラクターを脇に置き、一から考え直す。知人を思い出してモデルにすることが一番多い。よく知っている人に重ねてみると、何かに気づくんだ。でも、他の映画のキャラクターが元になっていると難しいね。『リオ・ブラボー』（一九五九年）のジョン・ウェインのキャラクターのイメージで書こうとしても、うまくいかない。何度も試してみたけれどね。実生活でよく知っている人が一番いい。何度も使わせてもらっている人たちもいるよ——彼らのいろいろな面を。僕の妻は多くの脚本で二十通りぐらいに使った。

『クレイマー、クレイマー』（一九七九年）の脚本と監督を担当した時は、ダスティン・ホフマンから多くを学んだよ。あらゆるキャラクターは、あらゆる瞬間において具体的でなくてはいけない。制作中は本当にいろいろなことに気づいた。具体性が不要な瞬間などないんだ。具体的で正確であるべきだよ」

商業的な問題

米国のプロデューサーや俳優はポジティブで共感できるキャラクターを好む傾向があり、それがキャラクターの問題を誘発する場合もあります。設定を充実させて魅力も出せているものの、ネガティブなキャラクターなら商業的な見込みが低いとみなされてしまいます。

脚本家のカート・リュードックはこう言っています。「今、書いているキャラクターに困っているよ。脚本家として行き詰まっているわけじゃないんだ。人物のことはよくわかっている。知り過ぎているぐらいだよ。ただ、商業映画のヒーロー像に当てはまらない。それを心配しなくていいなら、面白いことができるんだけどね。だが、五千万人の観客を動員できるか考えるのも僕の仕事だから」

このような場合はキャラクター設定を考え直すか、ポジティブな性質を付け足してバランスをとる必要があるでしょう。

脇役の問題

脇役が主役よりも目立ってしまった場合、書き手にとって二つの視点からの対処法があります。劇作家のデール・ワッサーマンはこう述べています。「困ってしまうね。脇役が主役を食ってしまうなら、ストーリーのアイデアか構成が間違っている。最初にきちんと考えていなかったということだ。よくあることだよ。ストーリーを作ろうとして過剰に企んでしまっているんだ。その過程でキャラクターどうしのバランスが崩れ、ストーリーの中での配分がおかしくなった」

これが有利にはたらく時もあります。ロバート・ベントンはこう言います。「『プレイス・イン・ザ・ハート』はエドナ・スポールディングがストーリーの中心になっていった。元々はテキサスの酒類密造人の物語だったが、脇役のエドナが他を凌駕した。こういう時は、書いていて一番嬉しい。逆に、書いていて嫌になるのは、登場人物を引っぱっていかなきゃならない時だ。つまり、何かが間違っている時だよ。登場人物が主導権を握ってくれることがストーリーにとって最善の時がある」

キャラクターがあまりにも従順な時もあります。キャラクターとのダイナミックな関係を展開して語らせるのでなく、操り人形を扱っているような場合です。

作家のシェリー・ローエンコフは「新人のライターは人物について考えるのをいったん休み、ストーリーを広げることも必要です。登場人物が自然に緊張やサスペンスを感じるには、それが不可欠です」と言っています。

ストーリーの問題か、キャラクターの問題か

キャラクターがいきいきしないのはストーリーに問題があるのかもしれません。カート・リュードックはこう述べています。「キャラクターに本当に問題があるなら、そのキャラクターを修正するのではなくて、削除することを考える。修正して面白くできるとしても、わざとらしくなるんだ。何かの行動や癖、過去の出来事、服装やスタイルを考えるのは簡単。エンターテインメントとして効果がないとは言わないが、僕は釈然としない。その場しのぎのようで、チープだと思う。僕ならいっそ、キャラクターごと削除して、いきいきするキャラクターを新しく探す。

ストーリー上、その人物が削除できないとしても、ストーリーは変更できる。キャラクターがいまひとつの時はストーリーの欠点を確認すべきかもしれないよ。だって、もしその人物が重要で、ストーリーがちゃんとしているなら、いきいきしない方が変だ。おそらく、問題は、プロットの都合を優先しているこ

と。誰かが登場して何かをして、去っていけばストーリーはうまく展開するはずだが、それがうまくいかないなら、まずストーリーを確認すべきだ。

ストーリー上の理由でキャラクターを削除できないなら、精彩に欠けるキャラクターに頼らねばならないほどストーリーが弱々しいということ。キャラクターがだめな時は、実はストーリーがだめなんだ」

行き詰まりを打破するテクニック

キャラクターの問題は解決可能です。経験豊かなクリエイターは多くのテクニックを使っています。

ゲイル・ストーン「『フリーライティング』というテクニックが役立つ時があります。自分が知っている人について書いたり、誰かのことや何らかのシーンを想像して書いたりするのです。ただ窓の外を見て風景を描写するのでもいいでしょう。自分の中から出てくるものと、プロット、ストーリー、キャラクターの問題との関連性がつかめます」

シェリー・ローエンコフ「行き詰まったら、主要なキャラクターが潜在的に何を強く求めているかを考えます。隠れている問題を見つけると、キャラクターを理解し直せます」

カート・リュードック「キャラクターのことで行き詰まったら、誰かに読んでもらえばいい。そうすると

『この人物はどうしてこんなことをするんだい』などと質問が返ってきて、自分の視点が揺るがされるよ。自分が考えていたことがひっくり返される。

それでも問題が解決できなければ『もし何々だったら』と想像するといい。『もしこの男の左足がなかったら？』『もしこのキャラクターが一五歳の時に何かが起きていたとしたら』というように。

主人公に当たるキャラクターがうまくいかなければ、問題は大きい。二番目に重要なキャラクターなら、解決はそれよりも簡単だ。リサーチをしたり、別のキャラクターに同じ役割をさせて取り換えたりできる。

一つだけ僕がするとしたら、性別を変えてみる。『もしドウェインがスージーだとしたら……』と考えると、いくつもの可能性が開けて驚くよ。態度も変わるし、新しい高揚感がキャラクターに生まれる。男女を扱う時にはやはりステレオタイプがあるし、物事を二元的に捉えるものだから」

カリン・ハワード「名前を決めても何も起きない時もありますが、私は名前がとても大事だと思っています。何かを連想させる名前は多いですよ。ぴったりの名前を付ければ、そこから連想が広がり、キャラクターが動き出します」

ジェームズ・ディアデン「僕が行き詰まった時は、ただ妻としゃべるよ。疑問に思うことを口に出して、球を打ち合うようにして、ただしゃべるんだ。偉大な作家の人生には偉大な編集者あり、というのは本当だよ。原稿を送ったら、編集者がコメントを付けて返してくれる。ヒントや提案も添えてね。作家の落度ではないんだ。森の中にいると木が見えなくなる時がある、というだけさ」

キャラクターの問題を俯瞰して見れば、プレッシャーを感じる必要はないと気づけます。創作の過程で行き詰まるのも自然なこと。そうしてキャラクターと作り手は道を模索するのです。

▼ケーススタディ――『愛と哀しみの果て』のデニス・フィンチ＝ハットン

トップクラスのクリエイターをもってしても、自分では解決できない問題もあります。特に難しいのは、実在の人物をドラマ化する場合でしょう。資料を探しても、情報がじゅうぶんに得られない時もあります。ドラマとして描くには、求めるものや目指すゴールがはっきりしない時もあります。優れたクリエイターでさえ、解決策が見出せずに悶々とすることがあるのです。

『愛と哀しみの果て』は一九八六年にアカデミー賞の脚色賞と監督賞、作品賞ほか計7部門を受賞しましたが、登場人物のデニス・フィンチ＝ハットンはキャラクターとして欠陥ありという批評も多数ありました。これには脚本を書いたカート・リュードックも同意しています。

彼が問題解決を目指してたどったプロセスからは多くが学べますので、ケーススタディとしてご紹介しましょう。

カート・リュードックは著者に当時のことを明かしてくれました。「デニスの問題は解決できなかったよ。リサーチは役に立たなかった。というのも、彼は自分の情報を知られたくない男で、周到な段取りもしていた。本当にわかりづらい男なんだ。彼は友人みんなに『俺からの手紙を読み終えたら焼いてくれ』と言っていた。人々が言うには、彼はまるで野生の豹のよう――絶対的に動く理由がある時しか動かない。現地人たちも彼のことをよく知らない。だから、ドラマ的なものは得られなかったんだ。わかっていることと言えばネガティブなことばかり。それをポジティブに描く方法も、僕には思いつかなかった。脚本家として、奇妙な問題だったよ。彼は何も求めない男であり、それをどうにかしようとは思えなかった。彼はとても前向きに、何も求めない姿勢を貫いていた。『何も求めない』男をドラマとして描く方法は思いつかなかったよ。

僕がもう少し力を抜いて、デニス・フィンチ＝ハットンについて知り得たわずかな真実も忘れてしまえば、ある程度は映画向きのキャラクターにできたかもしれない。『俺は君がどう思うかも気にしないし、何も気にしていないが、この国じゃ女性がちょっと少ないし、君は肌がきれいだし、ただそれだけでじゅうぶんさ』とでも言うようなキャラクター。もう少しアクティブに、何かをするキャラクター像を俳優に提供できたと思う。

でも、脚本家として、真実ではないと知りながら書くのは難しい。倫理的にどうかと思う。これは本当にあったことなんだ、と僕は強く心を惹かれていたからね。面白くするために嘘をつけと言われたら、この映画はできなかった。そんなことをするぐらいなら、『愛と哀しみの果て』とは呼ばずに『シャーリーとビル』といった架空の名前をタイトルにすればいい。事実という境界線を守れないなら『愛と哀しみの果て』を作るべきではないんだ。作り話を入れるなら、すべてを作り話にするべきだ」

キャラクターをドラマ化するにはいくつもの資質が必要です。その一つが「意図」です。「キャラクターは何を求めているか」とプロデューサーやエグゼクティブはよく尋ねます。デニス・フィンチ＝ハットンについての答えは「何も求めていない」だったのでしょう。

リュードックはこう続けます。「彼に実際に会ったことはないが、わずかな情報から推測するに、とても満ち足りていて、多くを望まない男だったんだろう。ほしいものはもう手に入れていた。まったくドラマには向いていない人物だ。映画になるような冒険はしているが、内面は謎だ。外から見えるデニスがある程度面白いのは、カレンが彼を求め、自分の動機でシチュエーションを展開しているからだ。本気でデニスをフィクション化するとしたら、カレン・ブリクセンと結ばれるキャラクターにはならないよ。実のところ、カレンに求婚するブロアの方がずっと面白い。彼とカレンの結婚生活を主体に映画全体を描けただろう」

しかし、映画はデニスとの恋愛関係がメインになっています。そこでリュードックはデニスを別の方向性で捉え直そうとしました。

「自分の中だけで満足していることがキャラクターの問題だと示す努力もしたよ。死を目前にした親友のバークリー・コールが、実は長年、ソマリ族の女性と交際していたのだと打ち明ける。『なぜ隠してた？』と驚くデニスに、バークリーは『お前のことをあまり知らなかったからかな』と答えるんだ。ドラマ化しづらい問題点から人物像を作ろうとしたよ。僕らがデニスのことをよく知らないなら、それはバークリーも同じだろう、と」

リュードックはセリフの一部を書き換えようとも考えました。元々はイギリス英語のアクセントを想定して書かれていました。「アクセントがある方がいいシーンもいくつかある。アクセントを使わないとわかっていれば、もっと書きたいセリフがあったけれど、やっぱり問題解決にはつながらない。誰にもよくわからないキャラクターだという問題は残る」

筆者は彼に、今ならどのようにするかと尋ねました。この経験から学べることは？　他の書き手が同じ問題に直面したら、何と言うでしょうか？

「実践的な面では、ノンフィクションであることに注意して、どこまでフィクション化するかを理解すること。明確なルールはないと思うよ。『自分の仕事は歴史を伝えることではなくて、力の限りドラマ的な映画を作ることだ』と言う人は素晴らしい。『パットン大戦車軍団』（一九七〇年）はどうなのか、と尋ねる人がいれば、僕なら『あれは優れた映画だと思うが、実在したパットン将軍の歴史を読む限り、僕の理解した人物とは異なる。だが映画として素晴らしいことに異論はない』と言うだろう。だが、僕が将来、また伝記的なノンフィクションの映画化を依頼されたら、事実がじゅうぶんにドラマ的かどうかをまず慎重に確かめるだろうね。

今、振り返ってみると、こう言えるかな。『いくつかの問題はやっつけたが、いくつかは未解決だ』とね」

クエスチョン

キャラクターの問題に遭遇したら、まず、本書でこれまでに紹介した内容を振り返ってください。問題の核心が絞り込めたら（一貫性がない、多面性に欠ける、感情面が乏しい、価値観が曖昧、など）、それに合わせたエクササイズも掲載しています。

それでも解決できない場合は次の質問について考えてみてください。

- 具体的な個性をもつ人として捉えているか、あるいはおおまかな設定だけしかしていないか？
- そのキャラクターが好きで、理解できているか？
- 脇役がストーリーのメインになっていないか？　もしそうなら、それはストーリーにとってマイナスか、それとも面白い展開か？　キャラクターたちを少し追ってみて、何が起きるかを考えてみたか？

- 「もし何々だとしたら」というクエスチョンを考えてみたか？　性別を変えてみたか？　バックストーリーの変更は？　身体的な特徴の追加は？
- 考え過ぎて思考が働かなくなっていないか？　創作ばかりしていないか？　自分の生活を体感するゆとりを設け、創作のための刺激が得られているか？

まとめ

記憶に残るキャラクターの創作は複雑なプロセスをたどります。その過程で問題に遭遇することは珍しくありません。行き詰まるのも自然なことです。トップレベルの書き手も例外ではありません。問題解決のテクニックを使えばフラストレーションもやわらぐでしょう。キャラクターがうまく機能するよう、解決を目指してください。

エピローグ

この本を書くのは冒険でした。著名なクリエイター諸氏からキャラクターの創作についての話を伺い、知識やこまかなスキルに対する意識や視野が広がりました。作品への敬意をもってインタビューに臨み、作者への尊敬の念もたいへん深まりました。雄弁に洞察や見解を述べて頂き、改めて才能に感服しました。

多くのクリエイターが同じ点を指摘しています。キャラクターへの理解を深めるには自分の身の周りを観察し、実体験を反映することが大事だということです。また、筆者にとって最も印象的だったのは、それぞれのクリエイターが自分自身の内なる声をしっかりと見つめていたことです。どのクリエイターも自分にとって価値あることを見出し、人生観を作品で伝えています。人々を分け隔てるバリアを破ることの大切さや救い、倫理的な選択に迫られる人々の姿など、その人ならではの視点が作品に織り込まれています。

脚本コンサルタントとして、筆者は書き手がこの「自分の声」を信じて育てることができると考えています。才能も重要ではありますが、一気に開花することは稀です。才能にはハードワークとトレーニングをおこない、実践し、独自の視点を信じて表現することも含まれます。

この本があなたの内なる声を見つける助けになれば幸いです。キャラクターの創造は、まず自分自身を知ることから始まります。それを創造の励みとして、記憶に残るキャラクターの創作に活かして頂けますように。

原注

第1章　キャラクターのリサーチをする

＊1　シド・フィールド『素晴らしい映画を書くためにあなたに必要なワークブック――シド・フィールドの脚本術2』安藤紘平・加藤正人・小林美也子・菊池淳子訳、フィルムアート社、2012年、48–50頁

＊2　Dick Lochte, "Stardomstruck," *Los Angeles Magazine*, March 1988, p. 53–56.

第2章　キャラクターに一貫性と矛盾を与える

＊1　Arthur Conan Doyle, *Sherlock Holmes Selected Stories* (London: Oxford University Press, 1951).

＊2　G. K. Chesterton, *Father Brown Selected Stories* (London: Oxford World Classics, 1955).

＊3　Agatha Christie, *Curtain: Poirot's Last Case* (London: Collins/Fontana Press, 1975), p. 7.

＊4　Agatha Christie, *A Pocketful of Rye* (London: Collins/Fontana Press, 1953), p. 97.

＊5　ジュディス・ゲスト『アメリカのありふれた朝』大沢薫訳、集英社、1981年、5–6頁

＊6　William Kelley, *Witness* (New York: Pocket Books, 1985), p. 8.

＊7　ジョーゼフ・キャンベル、ビル・モイヤーズ『神話の力』飛田茂雄訳、早川書房、2010年、40–42頁

第3章　バックストーリーを作る

＊1　Lajos Egri, *The Art of Dramatic Writing* (New York: Simon & Schuster, 1960), p. 36–37.

＊2　Frank Pierson, "Giving Your Script Rhythm and Tempo," *The Hollywood Scriptwriter*, September 1986, p. 4.

＊3　Christopher Hampton, *Les Liaisons Dangereuses* (London: Faber and Faber, 1985), pp. 31–32.

＊4　ジュディス・ゲスト『アメリカのありふれた朝』、108–109頁

第4章　キャラクターの心理を理解する

＊1　Ian Fleming, *Octopussy* (New York: New American Library, 1962), p. 13.

第5章　キャラクターの人間関係を作る

＊1　Art Kleiner, "Master of the Sentimental Sell," *The New York Times Sunday Magazine*, December 14, 1986.

第6章　脇役キャラクターを追加する

＊1　デール・ワッサーマン『カッコーの巣の上を』小田島雄志・小田島若子訳、劇書房、2001年、26、32–33、49頁

＊2　Constantin Stanislavski, *Building a Character* (New York: Theatre Arts Books, 1949), p. 25.

第7章　セリフを書く

＊1　Moss Hart, *Act One* (New York: Modern Library, 1959), p. 257–258.

第8章　空想世界のキャラクターを作る

＊1　Edith Hamilton, *Mythology* (New York: New American Library, 1940), p. 34.

＊2　Huntley Baldwin, "Green Giant Advertising, What ItIs, Why It Is, and How It Got to Where It Is Today," The Leo Burnett Agency, March 1986.

＊3　神話についての詳しい書籍は、ジョーゼフ・キャンベルの『神話の力』や『千の顔をもつ英雄』（上下巻、倉田真木・斎藤静代・関根光宏訳、早川書房、2015年）、Jean Houston, *The Search for the Beloved* (New York: Tarcher, 1987) がある。また神話と脚本との関係は、筆者の最初の書籍『ハリウッド・リライティング・バイブル』（フィルム メディア研究所・田中裕之訳、フィルムアンドメディア研究所、2000年）の第6章でも扱っている。

第9章　ステレオタイプを超越する

＊1　Luis Valdez, as quoted in an interview with Claudia Peng, "Latino Writers Form Group to Fight Stereotypes," *The Los Angeles Times Calendar*, August 10, 1989.

＊2　Statistics from *Window Dressing on the Set*, a report of the United States Commission on Civil Rights, Washington, D.C., 1979, p. 9.

第10章　キャラクターの問題を解決する

＊1　Frank Pierson, "Giving Your Script Rhythm and Tempo," *The Hollywood Scriptwriter*, September 1986, p. 4.

本書のために題材の使用許可を賜りました。
深く感謝いたします。

Warner Bros. Inc. for excerpts on pages 36–38, ©1989 Warner Bros. Inc.; Paramount Pictures for excerpts from *Witness*, ©1985 Paramount Pictures Corporation; Castle Rock Entertainment for excerpts from *When Harry Met Sally*, ©1989 Castle Rock Entertainment; Faber and Faber Ltd. for excerpts from *Les Liaisons Dangereuses* by Christopher Hampton, ©1985; Viking-Penguin for excerpts from *Ordinary People* by Judith Guest, ©1979 by Viking Press; United Artists Pictures, Inc. for excerpts from Rain Man, ©1988 United Artists Pictures; Picturemaker Production Inc. and Glenn Gordon Caron for excerpts from "Moonlighting," ©1985; MCA Publishing Rights for excerpts from *Midnight Run*, ©Universal Pictures, a division of Universal City Studios, Inc., courtesy of MCA Publishing Rights, a division of MCA, Inc.; Embassy Television and Columbia Pictures Television for excerpts from the "It Happened One Summer, Part II" episode of "Who's the Boss," written by Martin Cohan and Blake Hunter, ©1985 Embassy Television; Paramount Pictures for excerpts from the "Showdown, Part I" episode of "Cheers," written by Glen and Les Charles, ©1990 by Paramount Pictures; Lorimar Television for excerpts from the "Conversations with the Assassin" episode of "Midnight Caller," written by Richard DiLello, ©1988 Lorimar Television; Samuel French, Inc. for excerpts from *One Flew Over the Cuckoos Nest*, ©Dale Wasserman; United Artists Corporation for excerpts from War Games, ©1983 United Artists Corporation; 20th Century Fox Film Corporation for excerpts from Broadcast News, a Gracie Film, a 20th Century Fox Production, ©1988; Dramatists Play Service for excerpts from *I Never Sang for My Father*, written by Robert Anderson, ©Robert Anderson; Random House for excerpts from *Act One*, written by Moss Hart, ©1959 Random House, New York.

著者
リンダ・シーガー（Linda Seger）
ハリウッドで活動するスクリプト・コンサルタント。映画やテレビ番組を中心に、2000本以上の脚本に関わり、映画監督ピーター・ジャクソンや小説家レイ・ブラッドベリのアドバイザーを務めた経験を持つ。また、映画脚本に関する書籍を多数執筆しているほか、米国アカデミー賞協会をはじめ、世界30ヵ国以上で脚本術の講義やセミナーを行っている。主な著書に『ハリウッド式映画制作の流儀』、『サブテキストで書く脚本術』、『アカデミー賞を獲る脚本術』（以上フィルムアート社）、『ハリウッド・リライティング・バイブル』（フィルムアンドメディア研究所）などがある。

訳者
シカ・マッケンジー（Shika Mackenzie）
関西学院大学社会学部卒業。「演技の手法は英語教育に取り入れられる」とひらめき、1999年渡米。以後ロサンゼルスと日本を往復しながら、俳優、通訳、翻訳者として活動。教育の現場では、俳優や映画監督の育成にあたる。訳書は『魂の演技レッスン22』、『〝役を生きる〟演技レッスン』、『監督と俳優のコミュニケーション術』、『演出についての覚え書き』、『俳優のためのオーディションハンドブック』、『ハリウッド式映画制作の流儀』（以上フィルムアート社）他。

記憶に残るキャラクターの作り方
観客と読者を感情移入させる基本テクニック

2021年3月25日　初版発行
2022年4月10日　第2刷

著者　リンダ・シーガー
訳者　シカ・マッケンジー

デザイン　戸塚泰雄（nu）
編集　伊東弘剛（フィルムアート社）

発行者　上原哲郎
発行所　株式会社 フィルムアート社
〒150-0022
東京都渋谷区恵比寿南1-20-6　第21荒井ビル
tel　03-5725-2001
fax 03-5725-2626
http://www.filmart.co.jp/

印刷・製本　シナノ印刷株式会社

ISBN978-4-8459-2024-2 C0074